河畔风流

桐乡名人与京杭大运河

夏春锦 著

图书在版编目(CIP)数据

河畔风流:桐乡名人与京杭大运河/夏春锦著. —北京:中华书局,2024.7

(桐乡大运河文丛)

ISBN 978-7-101-16622-4

Ⅰ.河… Ⅱ.夏… Ⅲ.历史人物–生平事迹–桐乡 Ⅳ.K820.855.4

中国国家版本馆 CIP 数据核字(2024)第 097638 号

书　　名	河畔风流:桐乡名人与京杭大运河	
丛 书 名	桐乡大运河文丛	
著　　者	夏春锦	
封面题签	徐　俊	
责任编辑	吴麒麟	
装帧设计	许丽娟	
责任印制	管　斌	
出版发行	中华书局	
	(北京市丰台区太平桥西里 38 号　100073)	
	http://www.zhbc.com.cn	
	E-mail:zhbc@zhbc.com.cn	
图文制版	北京禾风雅艺文化发展有限公司	
印　　刷	天津艺嘉印刷科技有限公司	
版　　次	2024 年 7 月第 1 版	
	2024 年 7 月第 1 次印刷	
规　　格	开本/710×1000 毫米　1/16	
	印张 14¾　字数 180 千字	
国际书号	ISBN 978-7-101-16622-4	
定　　价	128.00 元	

序

　　中国是世界上著名的文明古国，这里的一切都渗透着一个"古"字，以县这个最基层的行政单位而论，自春秋战国开始陆续出现，到公元前221年秦始皇将县制推向全国，延续至今，已达两千多年。县的数量也由一千多增长到近三千。

　　就县龄而言，桐乡不算老，也不年轻，公元939年设县（乐史《太平寰宇记》），距今一千多年，初建时名崇德，县治设在义和市（今崇福镇）。到明宣德五年（1430），又一分为二，成崇德、桐乡二县，桐乡县治设在梧桐镇。到清代，因为崇德与清皇太极的年号相同，改名石门县，辛亥革命后改回原名。1958年，崇德县并入桐乡。1993年，桐乡又升格为县级市。

　　崇德成县虽不算早，却深得天时地利之便。它21岁时，就迎来了中华文化的巅峰期——宋朝，史学大师陈寅恪说："华夏民族之文化，历数千载之演进，造极于赵宋之世。"当时的全国经济文化重心由黄河中下游南移至长江下游，而崇德县正地处长江之南、钱塘江之北，我国唯一贯通南北的大动脉京杭运河，穿县城而过，离南宋之都杭州仅一百来里，属京畿地区。宋高宗为抗金曾九次路过崇德，住了九夜，甚至就地办公，这在全国县级的历史上是绝无仅有的。

宋代的县，按人口多少分为八个档次：赤、畿、望、紧、上、中、中下、下。崇德属中，算是比较小的县，但是凭借大运河贯穿全境的优势，经济得到飞速发展，一年的商税总额达4000多贯，超过了太原府下属的三个畿县（太谷、交城、文水）的总和（《宋会要·食货一六》）。

与此同时，它在文化教育上也迅速赶上或超越一些早建千年的古县。以办学与考进士为例。公元1085年，崇德县开办了培养人才的县学，《县学记》由百科全书式的大家沈括所撰，大书法家米芾书写，这样的盛事在县级教育史上是十分罕见的。办学不到四十年，奇迹出现了，1124年，沈晦考上状元。宋朝共118科，288个府州1234个县，平均两个州分不到一个状元，崇德一县就占了一个。曾经是华夏文明中心地区的河东（今山西大部及陕北神木、府谷），在宋代有11个府州81个县，才出了两名状元。进士的总数，崇德一县竟然与整个河东不差上下。更令人惊讶的是，崇德莫家五兄弟先后考中了进士，五子登科的佳话，宋代三百多年仅出现过两例，另一例是福建建安范氏五兄弟。反观河东，有几科甚至颗粒无收，急得司马光向朝廷提议，给河东一些特殊优惠政策。从这一对比，可以看出新兴的崇德县竞争力是多么强大！

宋代崇德县的知名度颇高，一些南来北往人士写的日记中经常会提到它。最早在日记中提及崇德县的是一位日本僧人成寻，他在《参天台五台山记》卷三说道，熙宁五年（1072）八月二十四日，乘坐杭州官员提供的大船，离开杭州到临平。二十五日经长安堰到崇德县，过夜。二十六日到秀州（嘉兴）。宋人日记中提及崇德县者有六种：赵鼎《丙辰笔录》绍兴六年（1136），郑刚中《西征道里记》绍兴九年（1139），周必大《归庐陵日记》隆兴元年（1163）及《南归录》乾道八年（1172），楼钥《北行日录》乾道五年（1169）与六年，陆游《入蜀记》乾道六年（1170）。赵鼎、周必大都是名相，楼钥为参知政事（副宰相），陆游是大诗人。他们的记载都是很有影响的。

还有一些没有紧迫事务的文人，他们经过崇德县时随时停留，观赏沿途美景，留下了许多诗篇。如书法家蔡襄，诗人陈与义、范成大、杨万里、叶绍翁，永嘉学派的代表人物叶适等均有咏崇德之诗流传于世。又，崇德离杭州甚近，大诗人苏轼曾与崇德县令周邠相唱和（《东坡诗集注》卷十二）。

宋代有大批镇市兴起，其中著名的有乌镇、青镇、石门镇等。乌镇、青镇隔河相对，河东为青镇，属崇德县；河西为乌镇，属湖州。乌镇、青镇本名乌墩镇、青墩镇，后避宋光宗赵惇讳，去掉墩字。镇虽分属两地，实际上融为一体，经济文化相当发达，其重要标志是修了镇志。宋代总共只修过两部镇志，其中之一即是《乌青记》（沈平撰）。

历史不会一帆风顺，蒙古铁骑踏碎了大宋社稷，华夏文化的高峰期中止了，社会开始走下坡路。当西方工业革命兴起时，清王朝却一味闭关自守，以致与西方的差距越拉越大，最终沦为半殖民地半封建社会。尽管如此，中华民族的文脉并没有断绝，而是顽强地延续下来。一百多年来，无数仁人志士艰苦奋斗，扭转了国运。特别是近几十年改革开放以来，国民经济飞速发展，中国迎来了新的辉煌期。桐乡又一次占了天时地利的光，它地处经济高速发展的长三角地区，离大都市上海甚近。大运河之外又有高铁、高速公路贯穿全境，经济发展的势头强劲，多年来稳居全国百强县之列。在文化资源开发上也有非凡的成就。乌镇已是享誉海内外的名镇，世界互联网大会的永久举办地，是桐乡市一张耀眼的名片。毋庸赘言。

这里需要多说几句的是，桐乡还有另外一张名片，那就是千年古县城——崇德。我国目前尚有数以百计的古镇，至于更高一级的县城，就少得可怜了，用"寥若晨星"之类的词语都无法形容，北方只留下一座平遥县城，列入联合国世界遗产名录。江南已找不到一座完整的县城，七十多年来，在旧貌换新颜的浪潮中，一座座县城都变了样，而崇德县因为早就并入桐乡，县城降格为崇福镇，受影响比较小，保存了较多的旧貌。

县城与镇不同，它是一县的政治、经济、文化、宗教的中心，有城墙、护城河、县衙门、监狱、文庙、城隍庙等，都是镇所没有的。而作为江南的县城，又与北方的县城大不一样。崇德有护城河，平遥没有；城内有河有桥，平遥也没有。到过平遥县城的再看这里，自有别样味道，县城河网密布，可以坐船在城内外游览，观赏小桥流水，湖光塔影，无须走回头路。城内房屋皆沿河而筑，穿过保存完整的横街，便是一条条弄堂。一座不大的县城，竟然有七十二个半条弄。最窄处，仅够一人欠身而过。大运河从城中间穿过，河西是衙门和热闹的商业区，县衙西有崇福寺（西寺），今存金刚殿，前有两塔，塔内藏有吴越王的涂金小塔。河东则有文庙，1946年我就在那里上学，庙很宽敞，墙边放着米芾书写的碑。庙前有高大的牌坊，两旁有千年古银杏树，南有荷花池、宝塔，庙后有纪念吕留良的亭子，环境幽雅宁静，是读书的好地方。古代县学多设在文庙里，这里曾培养出许多进士和举人。

根据崇德现有的条件，再适当修复城墙等建筑，无疑会成为江南第一古县城，足以与北方的平遥媲美。

世界上一些文明古国，往往辉煌一时，便陨灭了。唯有中华文明，绵延数千年，任何外力割不断，砸不烂。华夏文化究竟有何魅力，会如此坚韧不拔呢？许多海内外有识之士总想探个究竟，只是面对浩如烟海的中国古文献，不知道该如何下手。我觉得最简单的办法是，找一个县作为典型，仔细解剖一下，就能找见答案。正如俗话所说，一滴水珠能反映太阳的光辉。中共桐乡市委宣传部推出《桐乡大运河文丛》，从多个角度介绍全市的文化。当你看到一个刚过千年的县其文化已是那么厚重，那么精彩，就不难想象长达数千年的整个华夏文化是何等的惊人了。

李裕民

2023年11月19日

目 录

前言

　　我是山里娃，自小只在书本上知道京杭大运河，那时的历史教科书告诉我们，这是一条因为隋炀帝贪图享乐而修建的血泪河，因此并没有留下太好的印象。

　　直到定居江南以后，才知道大凡经济与文化曾经繁盛的市镇，多少都领受过大运河的恩泽。如今这条古老运河的交通功能虽然日渐式微，但它给两岸留下的人文积淀却是足堪夸耀的。自接了本书的写作任务后，我便进入一个个人物的微观运河史，这些桐乡历史名人与大运河之间的陈年旧事，才逐渐清晰起来，而大运河之于我，已然成了丰富多彩的历史画卷。

　　桐乡一地自宋朝以来人才辈出，本书涉及的与大运河直接相关的本地历史名人共计十五位，其中详写者十人，略写者五人，略写的五位因内容较少遂附于书后。囿于文丛进度，遗漏在所难免，那就只能留待将来了。

　　就书中所及的十五个人物而言，他们的人生与事业均与大运河有着千丝万缕的联系。吕希周、张履祥、吕留良、夏方昊、吴之振、劳之辨、方薰、严辰、丰子恺、张琴秋，均出生于大运河河畔，由运河之水哺育成长；宗礼、鲍廷博、沈启震、冯应榴、太虚，他们的生平功业、文化成就、历史影响，无不得益于大运河所提供的机缘与机遇。特别需要提到的是，吕希周、劳之辨、沈启震、冯应榴四人，还担任过与京杭大运河直接相关的职务。可以说，他们的人生始终保持着与大运河水乳交融的联系。

本书的写作紧紧围绕现有的文献展开，因是地方史中过去没有人做过的选题，所以对于新见的史料倍加珍惜，难免要多加援引。这客观上影响了行文的流畅，给一般读者造成了阅读的障碍。好在地方史的写作，首要的任务就在于新资料的发掘和事实的厘清，如果没有这个前提，行文再优美也只是水中月、镜中花而已。

自接受写作任务以来，至今已一年有余。虽然难度较大，但通过挖掘和考索，让我对每一个涉及的人物及其相关文献都有了较为深入的了解。相对于过去只是着眼于个体，这一次是围绕一个主题的群体研究，容易形成由微观到宏观的整体思考。这不仅拓宽了我的视野，也加深了我对地方文史研究的认识。由此想到，地方文史的研究，除了要在打深一口井上下功夫，还要学会由点及面，做专题化的探究；除了强调历史人物与出生地的关系，更要用力挖掘他们在本乡本土之外的作为，乃至在更大的地域和时间范围内所产生的影响。

今年夏，我与七位浙江师友走读大运河，前后历时一周，从浙北出发，先后途经淮安、济宁、聊城、天津、通州、扬州、镇江等运河名城，实地考察了当地最具代表性的运河遗存。当文献记载与现场实景不期而遇时，那种时空交叠所产生的感觉十分复杂，契合时的惊喜有之，但更多的是面对沧海桑田时的幻灭之感。运河两岸早已大变样，不变的是运河之水依旧汩汩流淌。只是相比于过往，如今的运河更多地被打造成文化遗产与城市景观，作为游客摄影留念时的背景。由此想到陆游的名句"纸上得来终觉浅，绝知此事要躬行"，从事地方文史研究，掌握当地的文献还不够，只有走出去，再回首打量时，才能看到最真实的自己。

在大众眼里，与京杭大运河关系最为密切的桐乡古代先贤莫过于吕希周。桐乡境内一直流传着"崇德吕希周，直塘改作九弯兜"的民谣，与之相关的民间传说，亦为本地百姓所耳熟能详。

漕之通，维子之功

吕希周（1501—？），字师旦，又字从野、从质，号东汇。其先祖吕亿于南宋建炎之初随宋高宗南渡后定居新昌，后裔辗转余姚、德清等地，至七世祖吕思慎时徙居崇德县语儿乡丘汇（今桐乡市高桥街道落晚村北阳桥）。吕希周自幼聪颖过人，八九岁时就"时吐奇句"，亲友"甚奇之"。受举子业后，三年间废寝忘食，学业日进，时任崇德县令陈相"一见所试文，啧啧称服不容口"（吕端甫《刻家严东汇诗集志》）。吕希周于明嘉靖四年（1525）考中举人，名列第七。次年赴京会试，又荣登丙戌科二甲第四名。参加恩荣宴归来，正是春风得意之时，他写下了《丙戌大对作》《恩荣宴纪事》《正日早朝》等歌功颂德之作，坦露了想要建功立业的拳拳之心。

吕希周的仕途是从南京工部都水司主事一职开始的，他被派往淮安掌管清江提举司。这个职务主要负责漕船的督造和管理，同时还兼

五 吕希周

像周希吕

呂希周明嘉靖閒進士。先做戶部主事，改調工部，出督清江浦漕運，很能幹，升為吏部文選司郎中，操銓政。史

後來他乞假在家，適值倭寇殺入縣境的皂林塘，伏尸徧野，希周奉令率兵攻討，出奇制勝，竟把倭寇打退了，不但捍衛鄉里，實在功在國家，朝廷因他有功，還在通政，賜奔有加。有龐尚鵬不知和他有什麼嫌隙，誣他不法，削職。真是有寃莫白的了。縱他一生事蹟，公而忘私，性恬慷慨，曾捐助學田一百七十餘畝，以照寒士，又運河無垠，特開成屈曲，使水勢紓緩紆域，民得水利，頓以殷阜。那時有句農諺傳下來說

陸上寇倭

民国时吕在廷编《崇德县乡土教材》中的吕希周 / 王健供图

管着清江浦运河上五座闸门的运行。

清江又名清江浦，位于今江苏淮安，既是河流名，也是其主城区的旧称。明永乐十三年（1415），平江伯陈瑄为使漕运畅通，沿北宋沙河古道开凿清江浦河，"因旧渠而疏之，置闸曰清江浦"（谈迁《北游录·北游录纪程》）。

吕希周有多首描绘清江浦秀丽风景的诗作，其中《清江郊望》诗云：

> 绿树垂垂黄鸟啼，青郊霭霭拂丹黄。
> 他乡物色惊时候，到处春风信马蹄。
> 人代栖栖嗟凤鸟，乾坤落落笑醯鸡。
> 浮云入眼何须问，瑶液银罍正可携。

《清江夕霁》诗写道：

> 山外归云急，江边翠竹深。明霞投远墅，返照射敧林。
> 雁度青天影，鸦翻碧树阴。钩帘凭水鉴，霁色入瑶琴。

《江淮》一诗则直接写到京杭大运河奔流不息的景象：

> 旅食江淮上，奔涛日夜惊。云蒸清晓黑，水触劲飙鸣。
> 昏垫尧民重，疏排禹力轻。无资俾作乂，有愿颂平成。

清江浦即今天淮阴区马头镇至淮安区淮城街道之间的里运河，作为京杭大运河江苏段的中段，它北接中运河，南至长江与江南运河衔接。在明清鼎盛时期，这里集漕粮储运、漕运指挥、漕船制造、河道治理、淮盐集散、榷关征税"六大中心"于一体，历来有"南船北马，九省通衢"之称。

明初，于清江浦设立清江、卫河两座造船厂，厂址就在淮安府下辖的山阳县。据《大明会典》记载，其中"清江提举司每年核造六百八十只"漕船，吕希周的任务可谓繁重。其诗《清江道中督发十二总漕艘作》云：

> 西北开皇极，东南贡百司。山陂原荡荡，海隩净弥弥。
> 夏赋五千服，虞州十二师。万年江浦路，长此报恩私。

又《沿江督漕艘夜征泛月》诗云：

> 锦缆江头引，银河榜外悬。星辉全照灼，云色互鲜妍。
> 浦阁遥连树，艛河近扣舷。沧波渺无际，荡漾夜珠圆。

吕希周并不擅长作诗，诗味近于寡淡，但其诗作对淮安一地漕运、漕船的故实多有记录，颇有存史的价值。

从明宣德二年（1427）开始，漕运总督也驻节淮安府山阳县，总督天下漕运事务。吕希周到任时，漕运总督是高友玑（1461—1546），字肃政，号南屏道人，浙江乐清人，弘治三年（1490）进士，历任南京刑部郎中、九江知府、山西按察使、甘肃右布政使等职。孙衣言在《瓯海轶闻》中引《万姓统谱》赞誉他"持身谨慎，剖事严明。非国计，铢钱不敛。非急务，只丁不差"，可见是一位公正廉明的能臣干吏。

高友玑于嘉靖五年（1526）被授予南京刑部右侍郎，转右都御史，外调漕运总督兼凤阳巡抚。次年即被提拔，回到南京任职，所以

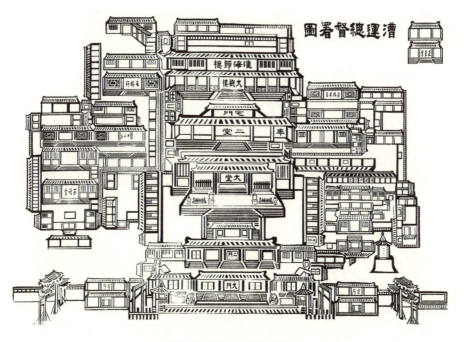

漕运总督署图 / 夏春锦摄

淮安中国漕运博物馆内复原的清江漕船厂场景 / 夏春锦摄

吕希周与其共事不到一年时间。吕氏《东汇诗集》中收录一首《送总督漕运高中丞南屏公擢南京尚书水部》，其中有"淮阳殊物候，庐岳仰旌旄。总宪新加爲，司空旧督漕。三山开凤障，二水迸春涛。柄召还枢辖，朝趋拥珮刀。高风敦古雅，令望冠时髦"等句，可见吕希周对高氏的敬佩之情。

初涉官场，吕希周以自己的勤恳和实干赢得了上司的倚重。高友玑走后，朝廷委派唐龙接替其职。唐龙（1477—1546），字虞佐，号渔石，浙江兰溪人。正德三年（1508）进士，历任郯城知县、陕西提学副使、山西按察使、太仆卿等职。为官清正，民颂其德。《明史》本传称其"有才，居官著劳绩"。

嘉靖七年（1528），唐龙改任右佥都御史，总督漕运兼巡抚凤阳诸府。当时黄河改道，从徐州迤逦南下后，再夺淮入海。因黄河南下东转之际，水速减缓，造成清江浦口为泥沙所灌，时间一长，自浦口往南至淮安城三十里泥沙淤积，河床升高，导致无法正常行船。

唐龙为此向管河的工部郎中发文，希望能发动各府县的人力与财力加以疏浚。但时值九月，担心发夫征费耗时太久，拖延至入冬后，一旦河水结冰，问题得不到解决，反而耽误了来年的漕运大计。进退两难之际，唐龙想起了自己的小老乡吕希周，便请他来帮自己出谋划策。吕希周认为"浚河在余虽为越职，通漕在国实为急务"，便毫不犹豫地一口应承下来。

经过一番实地勘察后，他向唐龙建议道：

> 籍阅阻泊外河者，漕艘二千有奇，商艘大小各一千有奇。漕卒念其久劳，每艘量括三人，商艘大者四人，小者二人，可得夫一万二千有奇。淤河三十里，每里以四百人浚之，每百立一队长，每队浚一里四之一，每里统于一厂官，每十里则令造船厂把

总指挥辖之。以五日为期，先期竣事者赏，不及期者罚。官商大小艘各标其号，约以河通放行。漕艘以日，商艘以夜，大艘用人多者标于先，小艘为后。标鳞次有序，无得参差。（吕希周《东汇诗集》卷一《浚清浦告成中丞渔石唐公携酒惠济祠作序》）

吕希周的建议，被唐龙全盘接受，官商大小船只听到消息后更是"欢声如雷，乐于趋事"。因为船只停留外河，奔涛迅湍，往往面临覆溺的危险。更何况由于河道淤塞，数千艘官船想依次通行，尚且要等上几个月的时间，无权无势的商船就更是遥遥无期了。

终于，在唐龙的精心部署和吕希周的督视下，"始期五日，既皆先期受赏，三十里清江浦不发一丁，不费一钱，功遂告成"。为了表示对吕希周的感谢，唐龙特意在运河码头上的惠济祠台上摆下庆功宴。据《（咸丰）清河县志》载："惠济祠在运口。……明正德三年（1508）建，武宗南巡，驻跸祠下。嘉靖初，章圣皇太后水殿渡河，赐黄香白金，额曰惠济。"惠济祠前的古清口是黄河、淮河、运河的交汇之处。两人在此边饮美酒边看漕船从古清口鱼贯而入，好不惬意。想到只用了不到三日，原本被阻拦在外河的数千艘船只便全部顺利通过，唐总督欢喜异常，借着酒兴，对吕希周歌咏道："漕之通，维子之功。昔也忡忡，今也融融。国运之隆，万年其同。"

吕希周深感唐总督的知遇之恩，亦唱和道：

混源出星宿，疏排下龙门。万里泻华夏，九河多崩奔。
南徙决徐沛，汤汤方竞喧。冲波有逆折，淮泗乃垫昏。
天海精光黯，沙上黄云屯。清江三十里，帆樯集如垣。
一望隔两崖，芦苇寒河源。中丞生人杰，举动旋乾坤。
风雷役河伯，精诚格天阍。爰以五日期，河水分清浑。

清江浦 / 罗烈弘摄

清江闸 / 夏春锦摄

烝徒理万楫，泾舟乃通焉。序次贯鱼缉，驱疾归牛奔。
回山与转海，洞辟惠济门。门外扫瑶台，燕喜开琼樽。
邀我观厥成，嘈然仙乐繁。喤喤钟鼓和，锵锵鸾凤繁。
帐下拥貔虎，腾欢列熊幡。投醪溢河润，挟纩敷春温。
清晖待明月，照曜白玉轩。愿以万年寿，君子不可谖。

此诗题为《浚清浦告成中丞渔石唐公携酒惠济祠作》，面对唐龙的礼贤下士，吕希周在诗中几乎将此次浚河的功劳全都归到他的头上，夸赞他是"人杰"，"举动旋乾坤"，极尽赞美之词。唐龙在漕运总督任上的时间虽短，但他公忠体国，勤于政事，还曾上书朝廷请求罢除向淮西征收官马种牛的苛政，免去寿州正阳关的榷税，通、泰二州的虚田租及漕运役夫和船料，因此受到僚属和百姓的拥戴。

吕希周三年任满，唐龙投桃报李，专门行文吏部和工部，对其政绩予以充分肯定。吕希周离任之日，唐龙又作《送吕子从质》诗送行，诗曰：

杪秋凄以清，郊墟生微凉。手携一束书，彩鹢飞晴江。
长风引行色，繁云结离肠。天之生美材，不易亦不数。
青松拔云起，藤蔓不可缚。兔丝卷如虬，琥珀明如虹。
矫矫明堂姿，栋柱隆其中。愿言勤爱惜，而以授良工。
送子青松行，和以膝上琴。绡帆去渺渺，明月照我庭。

唐龙在诗中对吕希周这位政坛新秀寄予厚望，其中"矫矫明堂姿，栋柱隆其中"等句给了吕希周很大鼓舞，以至于在其身后，也被其子吕端甫所津津乐道（前一句吕端甫记作"皎皎明堂姿"）。

吕希周工部都水司主事的工作同样得到了朝廷各部的肯定，在考绩中，工部称赞他"督万艘而守为兼著，官三载而学识益精"；都察院考核后评曰："材质粹美，志行雅饬。"吏部于是一锤定音："清才渊识，笃学好修，例候改选。"

船上阿翁频指点，至今犹说吕希周

吕希周回京后升任工部员外郎，因在兴建祭祀工程中立下大功，于嘉靖十年（1531）被提拔为刑部郎中，同年主广西乡试。十一年任武举考试官，十二年奉调兵部任职方司郎中，十三年又改任吏部文选司郎中，十四年被擢升为通政使司右通政，跻身正四品行列。

新官上任，吕希周本可以有一番新的作为，但此时噩耗传来，其父吕纶溘然长逝，只得南归奔丧。待处理完丧事后，按古礼吕希周须在家守孝三年。但三年后他仍得不到复出的机会，因为他曾在胡守中的人事安排上开罪于夏言，其时夏言位列内阁首辅，胡守中"骤猎通显"，自然都不会给他好脸色看。

居乡期间，吕希周将家搬到了崇德县城，住在县衙的东北处。县城是缙绅汇聚之地，心慕风雅的吕希周便与他们结成真率会，诗酒唱和，好不自在。但好景不长，随着倭寇对东南地区的大举侵扰，吕希周原本平静的乡绅生活被彻底打破。

此前，崇德、桐乡、平湖、嘉善皆不筑城池。嘉靖三十一年（1552）倭寇来犯，深入内地，蹂躏无忌，致使嘉兴一带惨遭重创。刘悫（1508—1571，字致卿，号唐岩）出任嘉兴知府后，采取积极的防御措施。他首先要做的就是给四座县城修筑城池，以为屏障。因崇德地处京杭大运河水路要冲，"翊省控府，非城不可"，所以刘悫"尤介注于崇"（吕希周《筑城记》，收录于《（光绪）石门县志》卷二）。嘉靖三十三年，他责成吕希周协助崇德知县蔡本端构筑崇德

此处过去一直被认为是吕希周墓，经考证应为吕希周之父吕纶墓 / 桐乡市委宣传部供图

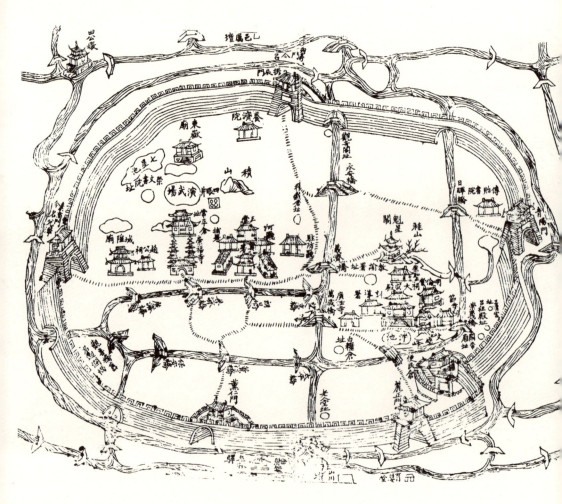

《（光绪）石门县志》中的城市图

县城。因"崇城旧址，悉为民居，汹汹称不便，城址数易不能定"。刘悫得知后亲自来到崇德，实地勘察，悉心筹划，最终确定了城址，择日动工修筑。据吕希周记载：

> 唐岩公亲莅邑中，观形势，集士民，而谕之曰："尔城旧址，水陆辐辏，生齿蕃庶，究为安宅久矣。夫筑城卫民，民居尽毁，城成孰居之？"自是，恢廓城制，凡里中要会之处，环城而囊括焉。北多幽旷，乃城于旧址，址遂定。又以天目之山，苕水发源，从西南数百里，流入崇德之阳。旧南门乃在东偏。公迁于中，迎山水以纳王气，爰命邑大夫蔡侯董其役。（吕希周《筑城记》）

刘悫为崇德县城做了周详的规划，但具体的工程则落到知县蔡本端和吕希周等人的肩上。次年正月初六，城池尚未竣工，倭寇又至，烧杀抢掠后，留下一片废墟。蔡本端因守城不力被革职查办，在新知县到任之前，刘悫委派嘉兴同知张任进驻崇德督工。崇德官民因饱受倭寇之害，同仇敌忾，"浃月而楼橹雉堞完且备矣"。

嘉靖三十五年（1556），崔近思由河南长垣调任崇德知县，因有前车之鉴，上任伊始他就全身心地扑到防御工事的构筑与完善中。当年四月，倭寇又拥众从故道前来侵扰崇德，行至三里桥前，望见新修的两座敌台巍然矗立，其后更有新落成的城墙和新开凿的护城河，于是心生怯意，只得率众折回长安，经硖石，改为围困桐乡，崇德县城遂得以保全。

吕希周事后撰《筑城记》一文，对崇德筑城前后的史事有详尽的记述，但他只字未提自己在其中所发挥的重要作用。事实上，吕希周在整个过程中，对历任知县多有襄助，特别是提出改运河直塘为曲，既充当护城河发挥了绕城防护的作用，又解决了水利问题，坊间至今还流传着"崇德吕希周，直塘改作九弯兜"的民谣。

这段绕城的运河故道至今尚存，河道上有座司马高桥，原名南高桥，始建于明洪武年间，清乾隆十四年（1749）邑人沈廷槐重建。同治三年（1864）毁于兵，光绪二年（1876）知县余丽元再次重建。1971年京杭大运河直线改造，处于故道上的司马高桥得以幸存，成为桐乡段运河上唯一留存的古桥。

嘉靖三十五年（1556）四月，胡宗宪升任南直隶、浙江及福建总督。他将总督府设于杭州，并广招人才，其中就包括茅坤、徐渭、吕希周等人。由于谋划得当，同年八月，胡宗宪成功诱降倭寇头目徐海，并将其捕杀。徐海所率余部肆意逃窜，最终在海上遭到围捕。此次大捷，朝野振奋，嘉靖皇帝对有功之臣一一进行了封赏，吕希周抗倭有功，被提拔为正三品的通政使。因倭乱尚未平息，吕希周没有回京就职，仍留在胡宗宪帐下效力。

嘉靖四十五年（1566），回乡后的吕希周被巡按御史庞尚鹏以"居家不法"的罪名弹劾并削职为民。尽管如此，他还是因为在保境安民上做出过巨大贡献，而受到崇德县官民的敬重。隆庆二年（1568），崇德县学修缮，地方上礼请其撰写《重修崇德县儒学记》，并勒石以存。这块石碑至今仍镶嵌在崇福镇孔庙大成殿内的墙壁中。

对于吕希周的功绩，后人给予充分肯定，《（光绪）石门县志·人物志》中写道：

> 希周慷慨好施，尝捐田一百七十余亩归学官，以赡诸生之贫者。生平精形家言，邑运河旧塘本无坳，希周开令屈曲。时人为之语曰："崇德吕希周，直塘改作兜。"自是水势回环，绕城如

司马高桥 / 高黎明摄

带，居民日以殷阜。

清代诗人吴曾贯亦有诗吟咏道："官塘一线入城流，何事湾湾曲似钩。船上阿翁频指点，至今犹说吕希周。"桐乡一地的老百姓至今仍十分感念吕希周在乡邦事务中所做的贡献。

【链接】

吕希周直塘改弯兜

本来，京杭大运河经过崇德县城这一段（从北三里桥到南三里桥）是一条直塘，后来被吕希周改成了弯弯曲曲的弯兜。从此，崇福一带就流传开了一首民谣："崇德吕希周，直塘改作九弯兜。"吕希周为啥要将直塘改作弯兜呢？传说很多，有的说，是为了抗击倭寇，便于防御；有的说，是为了减缓水速，保护堤岸。还有一个传说，说是吕希周为了升官。

吕希周是塘东北阳桥人，明朝嘉靖年间的进士，先做户部主事，后为吏部文选司郎中，又升为左通政。虽然他官越做越大，但大了还想大。他手下有个人为了迎合主人，对吕希周说："俗话说，祖坟风水好，官位步步高，老爷要往上升，就得请个风水先生，相一块祖上坟地！"

吕希周觉得有道理，就花重金请了一个风水先生。那风水先生手捧八卦相盘，在崇德县城四周转了一圈，回来对吕希周说："好坟地找到了，就在县城南门外的运河塘边。"

吕希周马上和风水先生一同去实地察看，一看果然不错，前有林木，后有城墙，旁有运河塘，真是块宝地。

风水先生见吕希周高兴，又说："千金难买水西流，如果能将南来的运河水引向西流，这块地的风水就更好了！"

吕希周笑道："南来河水引向西，容易，容易，只要将直塘改作弯兜，运河水就往西流了！"

风水先生又道："如能在运河上建起两座大桥，使塘路上来往的纤夫都兜圈上桥下桥，日夜不停，那才真正是'日间千人拜，夜里百灯明'！"

吕希周听了，心花怒放，连连称赞风水先生想得好。于是，他立即叫县官派差役到四乡农村征来民工，改运河直塘为九个弯兜，并在县城南边建造南三里桥，县城北边建造北三里桥，后来又在那块"风水宝地"上修起了祖坟。

然而，风水却没有保证吕希周的官越做越大，他的升官美梦并没有实现。后来，因官场倾轧，他和巡按使闹起了矛盾，连原有的官职也被削掉了。

（选自《桐乡本是凤凰家：桐乡民间故事集》，薛惠清讲述，陆富良整理，王士杰主编，浙江人民出版社2014年版）

宗礼：
报国有雄心，
名成皂角林

　　说起明末抗倭英雄，世人首先想到的会是戚继光、俞大猷、胡宗宪等少数几位赫赫有名的人物。他们的历史功绩足以名垂青史，而同时代的其他抗倭将领，同样不该被遗忘。宗礼，就是比较有代表性的一位，他在京杭大运河桐乡段上的抗倭事迹可歌可泣，为后世传颂不绝。

官兵战败鸟兽奔，赴援独有宗将军

　　清人徐畿在其所作的《宗将军歌》中对这场抗倭战役有过一番生动的描述：

　　　　嘉靖之季岁在辰，倭寇犯我城西门。
　　　　官兵战败鸟兽奔，赴援独有宗将军。
　　　　将军陈张左右翼，手奋大刀乱斫贼。
　　　　头颅满地血淋沥，血光溅刀刀为赤。
　　　　皂林驿口齐吹螺，摩兵转战剿群倭。
　　　　见贼杀贼贼愈多，千队万队屯长坡。
　　　　重围格斗宝刀折，城头鼓死救兵绝。

宗扬将军抗倭群雕 / 桐乡市委宣传部供图

将军怒洒一腔血，偏裨副将同徇节。

吁嗟乎！秀溪之水滔滔，将军战血何时休。

诗人所处的时代毕竟与那场战役相去久远，其题旨更是以追怀和赞颂为主，对战况的描述总归是多了一些凭空的想象。要知其然，还得翻翻史志，或能借此走进一段更加具体可感的抗倭往事。

徐畿所赞颂的"宗将军"即宗礼，《明史》有传，但与阮鹗一起附于胡宗宪传中，不过寥寥数十字：

礼，常熟人，由世千户历署都督佥事。骁健敢战，练卒三千连破倭，至是败殁。赠都督同知，谥忠壮，赐祠皂林。

关于宗礼，世人所知甚少。他字周道，生年不详。可以确切知道的是他阵亡于嘉靖三十五年（1556）的那场崇德保卫战。他的籍贯众说纷纭，《明史》作"常熟人"；明王穉登《宗将军战场歌十首》却作"关中人"；清周拱辰《绣溪桥吊宗将军赋并序》又作"河朔人"；《光绪桐乡县志》则云"其先常熟人，籍隶燕中"，应该说这是一个相对折中的说法。

对于他的生平履历，各种史籍多是笼统的表述。《明史》赞誉他"骁健敢战"。周拱辰说他"少知兵，善骑射，号猿臂手。嘉靖间，以武闱第一人授游击"。张廷志《宗都督碑记》称颂其"天授奇勇，娴韬略，善骑射，乃河朔骁将"。《光绪桐乡县志》则云"少知兵，善骑射，骁健敢战"，大体是对前人记述的沿袭。王穉登还说他"骁腾善战，约束士伍有古名将之风"，应该大体不错。

作为一名武将，宗礼原本只是明朝千百个将领中的普通一员而已。历史之所以记住了他，是因为他作为嘉靖年间那场抗倭战争的参与者，不仅作战英勇，还因此献出了宝贵的生命。

故事要从嘉靖三十三年（1554）说起。当时倭寇祸乱东南，倭首徐海、叶麻、陈东等以乍浦、柘林为巢穴，屡屡骚扰东南沿海一带。在浙江，倭寇的战略是先取嘉兴，再顺着京杭大运河攻打杭州，因崇德县（今属桐乡市）系大运河上嘉兴至杭州间的南北孔道，徐海便在嘉靖三十五年拥众来袭，有势在必得之意。

当时，浙江的兵力严重匮乏，形势岌岌可危。此时，与刚刚升任浙江巡抚的阮鹗素有交往的参将宗礼正率领河朔兵八百人途经浙江，要前往福建驻防。阮鹗便通过"总制七省"的新任总督胡宗宪，"檄将军尾倭"，这才解了燃眉之急。危急时刻，阮鹗还没等任命书到达就带着宗礼"卷甲趋救"，增援嘉兴。

关于此战的经过，《光绪桐乡县志》卷十《官师志》的宗礼传中写道：

> 公率其徒持一日粮，仓卒遇倭于崇德之三里桥，三战三捷，取其两魁，斩获无算。明日复战，士有饥色，公奋杀，复取其魁，贼狼栗欲窜，中有附贼者，曰："孤军易与耳。"教以分族夹攻，令无得食。明日复战，士饥甚，公统兵不满九百人，杀伤甚多，会前锋中贼炮，公亦被重伤，军无救援，兼乏食，叹曰："臣力竭矣，死当灭贼以报国。"斩己所乘马，遂自刎。

传记后所附的张廷志《宗都督碑记》有更详细生动的描述：

> 嘉靖丙辰，倭寇入犯，连舰骈帆，蔽海而来，分锐趋浙，所至蹂躏。时中丞阮公鹗与将军有素，因其挟糗入闽，道经浙甸，遂令他员代事，而留为部署。阮公移节出巡，西下檇李，将军与副将霍贯

拱宸桥（俗称北三里桥）/ 汤闻飞摄

道、侯槐、何翔实为后劲。倭雄徐海帅兵亟追阮公，公入桐乡城，将军奋勇而前，御寇于皂林市之三里桥，桐邑之襟喉也。时将军精锐悉屯塘栖，卒未集合。将军以单骑格贼，且战且东，一胜于崇德，再胜于石门，三战至此，未得一餐，枵腹血战，冲突往来，于数千辈雕面少年之中，如入无人之境，斩首阗河，河水为之不流。狡贼欲扼之，而惮其威，弗敢近，乃退。伺其隙，登龙翔寺之鸱吻，望将军止踽踽残师，贼复猖恣，摇羽扇以啸集，合围四击。将军犹砍桑木，垒桥西塊，以当橹楯。贼入河，夹桥分射，箭发如雨，马若披蓑，将军神色不变，格斗如故。贼发雷石，中马左足，将军一跃而坠，失所执持，以徒步空拳与贼死战。攫贼刀，复斩数人，贼乃远拓其围，飞乱石击将军，而笑詈之。将军愤极，见势已莫支，踊跃大呼，发指眦裂，挟二贼投于桥下，遂自刎。越月余，寇退，始觅将军尸，眉目如生，历战而体无镞痕，将军真英烈哉！

《（光绪）石门县志》卷五《武备志·兵防》亦有相近记载：

> 时中丞奉命代张督府经甫八日，麾下卒仅三千，及参将宗礼所部河朔兵八百人。急檄河朔兵屯崇德，自引兵壁塘栖，阮中丞鹗入保桐乡。礼与裨将霍贯道帅骁骑五十人突之，杀数十倭。已而大呼，众力战，复击杀百余倭。礼令严肃，自崇德鼓行至皂林，不及炊，兵皆枵腹。忽疾风伤火药，又无应援，礼与贯道俱陷。

综合以上文献可知，胡宗宪委派宗礼屯兵崇德，自己则驻守塘栖。胡宗宪将宗礼带来的河朔兵的精锐部分也留在了塘栖，宗礼只带了一小部分军士前往崇德抗敌。待与徐海在崇德三里桥遭遇后，宗礼便携裨将霍贯道、侯槐、何翔等以五十骁骑迎战。首次交锋就三战三捷，取其两魁，杀敌百余人。第二日复战，尽管腹内饥馑，但还是在石门镇境内的运河上再次取得了胜利。经过几个来回，徐海显然发觉了宗礼的弱点，认为他孤军深入，缺乏外援，便对其分头夹攻，以形成包围之势。不想宗礼等越战越勇，一直追寇至皂林的绣溪桥（又作秀溪桥，亦名三里桥）。尽管连日未得进食，但宗礼还是以超乎想象的毅力率部空腹血战，左冲右突，兵将均显得格外英勇。面对宗礼的顽强抵抗，兵力上占据优势的倭寇起初"惮其威，弗敢近，乃退"。在逃跑之际，有倭寇爬上龙翔寺的鸱吻远眺侦查，这才发现宗礼一行乃"踽踽残师"，已是强弩之末，于是"贼复猖恣"，施以疯狂的反扑。宗礼及其部属终因寡不敌众，血洒疆场。

宗礼是在知无退路的情况下，迫不得已，先斩了自己的坐骑，将两个倭寇投于绣溪桥下后拔剑自刎的。对于这场战斗，我们从相关记载中可知，"枵腹血战"只是失败的原因之一，更要命的是追敌至皂林时突然刮起一阵疾风，把火器上的火药吹散，将士们只能与倭寇短兵相接，以一当十，其惨烈之状可以想见。

此役在当时反响甚大，钱塘诗人田艺蘅闻讯当即写下长诗《秀气①桥行并叙》（见《香宇集》卷十二），表达自己对宗礼等英烈的崇敬之情。诗云：

> 客有自桐乡回者，能谈秀气桥之战，蘅感宗将军礼死节之事因作此篇。
>
> 当年西北烟尘里，今日东南烽火起。
> 圣王赫怒下雷霆，壮士腾欢翻海水。
> 搣金伐鼓语儿乡，吴越从横古战场。

---

① "秀气"为"绣溪"之误。

如今金牛塘上的秀溪桥 / 胡惠民摄

沙渚塘边日已落，桐乡城外月无光。

岐旁列阵四面敌，通宵至晡不得食。

人如蜗缩马如狗，欲挽强弓无气力。

千人一呼犹足支，慷慨不负并州儿。

孤军援绝贼且易，黑云压垒风离披。

一半伤残一半死，将军独立麾未已。

自言许国不顾身，厉鬼还当报天子。

拥兵不解睢阳围，人人能说□指挥。

父子从没有三杰，逃者死者安是非。

华衮斧钺不可作，七言我欲继笔削。

铭勋幸有秀气桥，图形未必凌烟阁。

诗人细致传神的描述，一下子将我们带回了刀光剑影的厮杀现场。皂林为此不再只是小桥流水的清丽之地，还是英雄的魂归之处。清乾隆年间进士濮启元行舟至此，有《皂林渡》诗写道：

绣溪遥接武陵涯，漠漠烟横古渡斜。

河朔兵过倭寇灭，人家零落遍桑麻。

诗前小序说："宋置官渡。《倭寇事略》：嘉靖间，用河朔兵御寇，将军宗礼与贼战于皂林渡，死之。"古渡借英烈而扬名，英烈的事迹则在桐乡段运河两岸世代相传，至今不绝。

至今英气在，祠宇枕寒流

宗礼的阵亡，在朝野都引发了强烈的愤慨。统治者出于某种目的和需要，先是按惯例追赠官职，追封谥号，后又在其就义之地皂林绣溪桥畔建起了褒忠祠，每年春秋两季致祭。

据《光绪桐乡县志》卷三《建置志上》云：

> 褒忠祠，在皂林秀溪桥左，祀明都督宗礼。隆庆间敕建，以从征死事者十五人配享，有司春秋致祭。十五人为海宁卫指挥使、赠右府都督佥事、提督大教场水陆官兵、总理备倭等务总兵官马呈图，海宁卫指挥佥事满潮，海宁卫指挥同知采炼，海宁卫指挥使徐行健，海宁卫指挥赠指挥佥事李元律，处州卫千户薛炯，宁波卫百户宋应澜，乍浦所千户王继隆，乍浦所百户姜楫，乍浦所百户杨巨，乍浦所百户王相，嘉兴所百户吕凤，嘉兴所百户姚岑，乍浦所百户康绥，海宁卫指挥佥事姚宏。
>
> 康熙六年，将军裔孙某来桐省墓，与邑人沈升调等捐置祀产十七亩。后被僧人盗卖几尽，仅存四亩，议归龙翔寺僧管理。咸丰末，祠遭贼毁。沿塘渔户向奉宗将军甚虔，即于同治四年醵资修复。

以上有关褒忠祠的记载，编纂者声明是依"旧志并新纂"，但仍存有疑惑，为此加按语道："与宗礼同死难者尚有霍贯道、侯槐、何翔三人，旧志列入《忠贞传》。而此处配享十五人中，转无其名，殊不可解。渔户修复祠宇，沿其旧额，题曰'宗扬庙'，亦不可解，俟再考。"

令编纂者不解的有两点：一是霍贯道、侯槐、何翔三人不在旧志的名单上。关于这一点，清人宋咸熙在将王穉登《宗将军战场歌十首》收录于《桐溪诗述》中时有按语道："《府志》，与礼同时死事者，尚有宋应澜、杨巨、王相、霍贯道、侯槐、何翔本（一作何翔——作者注）、赖恩、李锡诸人。见《嘉禾征献录》。今从祀忠壮祠者，只霍、侯二人，《县志》亦失载。"宋咸熙按语中的赖恩、李锡也不在《光绪桐乡县志》的名单中，究竟如何，尚须进一步考索。二是咸丰年间褒忠祠毁于太平天国运动，此后沿岸渔民捐资重建时将祠名改作"宗扬庙"。再往后，"宗扬庙"又演变成"宗阳庙"，或是音近造成的讹误？

宗扬庙建成后，成为京杭大运河岸边的一处风景名胜，沿运河南下北上的文人墨客常常在此观光流连。诗人们很容易被宗礼英勇无畏的抗倭事迹所打动，触景生情，于是常常以诗抒怀。当年宗礼就义时闻讯作诗礼赞的田艺蘅后来专程前来凭吊，所作《吊宗将军祠》诗云：

> 日暮皂林驿，云昏秀气桥。将军空庙貌，草木尚萧条。
> 开国闻英佐，平吴属圣朝。敢因成败论，魂去不堪招。

万历时举人李应征是在新祠建成数年后路过的，其《皂林过宗将军祠》诗曰：

> 草木余生色，将军旧死绥。血花埋箭镞，阴气结旌旗。
> 狐兔潜相啸，英灵倘在兹。还闻故开府，城邑有新祠。

明代另一位风流名士王穉登亦作有《宗将军战场歌十首》及《过宗将军祠》，写得铿锵有力。逐录如下：

宗将军战场歌十首
月黑耕人语，隔河见白马。知是精灵归，来向庙门下。

河边枯髑髅，金镞射为窟。入时何太深，碎骨始得出。

围中鼠雀尽，城里日传餐。为鬼已灭贼，何时灭贺兰。

本谓江南乐，佩刀居帐下。渔阳饮飞士，无一生还者。

将军空血战，中丞深闭门。桐乡城北路，流水没孤屯。

故剑不可收，姓名刻剑匣。瑟瑟白杨根，虚空葬金甲。

射尽白羽箭，战士不肯去。春来草痕赤，旧日留血处。

有家全募士，无骨可封侯。负却生时相，班超是虎头。

结发为飞骑，相从霍冠军。征南诸将士，枯骨论功勋。

沙场大黄弩，将军在时射。贼人得之惊，一挽一百石。

过宗将军祠

马毙弓刀尽，将军此丧元。棺无骸可殓，血化碧空存。
风雨悲遗像，蓬蒿满庙门。汉家恩太薄，何以慰忠魂！

前者极力铺排宗礼作战之勇猛，后者则写尽褒忠祠之荒芜萧瑟，两相对照，凸显出诗人"汉家恩太薄，何以慰忠魂"的无穷浩叹。

入清后，虽经改朝换代，但宗扬庙仍存。清代诗人对前朝的抗倭英烈依旧心生敬仰。落魄书生郑以嘉有《皂林宗将军战倭处》诗咏道：

皂林双桥 / 李渭钫摄

烟柳烟芜际，萧条水驿秋。时平烽火静，事起阵云愁。
转战悲杨业，成功让阮脩。至今英气在，祠宇枕寒流。

吕堃的《谒宗将军庙》诗二首，则显得慷慨激昂：

传檄西江急，间关马已瘏。猝然提一旅，气欲尽倭奴。
转战军声振，凭陵客势孤。横戈此渡口，风雨夜闻呼。

报国有雄心，名成皂角林。悲风声激壮，落日气阴森。
援望石门绝，烽传幕府深。百年崇报赛，萧鼓闹江浔。

直至晚清，本地人对宗礼仍然葆有崇敬之心。严辰在其编纂的
《光绪桐乡县志》中特设《桐乡八景图》，其五即为《双桥凭吊》，
有诗云：

东西驾双桥，南北见两塔。桥下古战场，行人勿轻踏。
一将十八神，庙祀申襃答。至今霜月夜，灵旗犹飒飒。

除了文人的推崇，宗礼在民间社会也被尊奉为地方神祇，特别
是被大运河沿岸的渔民船夫视为保护神。因民间误传宗将军是在重阳
节殉难的，因此每年从九月初六开始，庙中便举办声势浩大的庙会，
直至初十才结束。那时运河塘两岸的渔民分作几个帮派，约定轮流出
钱，同时请两个京戏班子演对台戏以酬神。每到这个时候，人们就从
四面八方赶来，烧香，看戏，放焰口，一时间运河两岸热闹非凡。

抗日战争全面爆发后，桐乡于1937年被日军占领。因宗扬庙正好

《光绪桐乡县志》中《桐乡八景》之《双桥凭吊》

位于运河交通要道上，日军在此安排了重兵把守。当他们发现庙中悬挂有"抗倭忠烈""荡倭安邦""兴华灭倭"等匾额后，便一把火将其烧毁。抗战胜利后，本地渔民集资重建庙宇三间，并于1946年重阳节举行了公祭。据民国三十五年（1946）《桐乡年鉴》记载：

> 本年光复伊始，本县各界为追念宗礼先烈，揭发民族正气，特定旧历重九日，发起公祭，县府全体职员，均前往参加……
>
> 宗扬庙，原名皂林镇，在县城西北七里许，自县城步行约一小时可达，而此次船行，因风雨阻途，却需两小时，该地当南北冲要，为运河交通之襟喉，古今皆为用兵之地。民国二十六年冬，日寇侵踞桐乡，此处亦置有重兵，几经往复，庙宇庐舍悉被火焚，仅沿运河塘一带，新近搭有一排草房，并矗立着"又园邨""宗礼墓道""宗公祠"三块新制牌坊。是日为宗礼将军秋日大祭，循例演剧祀神，远近来赴会者，仍不因天雨而减少。河岸船只栉比，茶摊杂贩，敷设几遍，熙熙攘攘，不下数万余之众。
>
> 宗公祠系临时架搭而成，平时神像屈居于右旁草舍，庙右即宗礼将军墓，用石块砌成圆形，一杯（抔）荒土，长埋忠骨，游人至此，辄能忆及抗倭不屈之精神。孰知数百年后，复罹倭寇酷劫，先烈有知，亦当积恨九泉。今幸河山重光，各界举行公祭，亦可稍慰英灵于泉下矣！

公祭在宗礼墓前举行，由县长范文治主祭，天上下起了霏霏秋雨，仪式在雍穆庄严中顺利完成。此次公祭因在抗战胜利之后举行，不仅激发了民族正气，也在一定程度上抚慰了饱受日军蹂躏的桐乡军民的创伤。

随后，由于内战爆发，民不聊生，宗扬庙已无法恢复如初。新中

今龙翔寺宗扬将军殿内的宗礼塑像 / 龙翔寺供图

国成立后，庙宇一度被改成粮管所；"文革"中，墓地连同塑像被彻底捣毁。今人所能见到的是位于龙翔寺内的宗扬将军殿，香火虽然未断，但殿宇矮小逼仄，与宗扬将军昔日的风采实不相衬。

【链接】

宗扬将军

桐乡县城北面今龙翔街道南端的大运河边，本来有一座宏伟的庙宇，叫宗扬庙。这座庙虽然早在抗日战争时期被日寇烧毁，但人们一直以此庙为地名沿用至今。

宗扬庙是为纪念宗扬将军而建造的。宗扬将军姓宗名礼，是400多年以前明朝的一位抗倭爱国将领。早在明朝开国时期，日本商人和浪人组织起海盗集团，经常侵入我国东南沿海，进行骚扰掠夺，历史上称为"倭寇之患"。到了明嘉靖年间，有些中国商人当汉奸做内应，直接带领倭寇进来抢掠，致使倭寇之患蔓延至东南沿海各省。

明朝的政治极端腐败。当时奸臣严嵩当道，他借倭寇入侵的机会，残害异己，大发国难财。地方官吏为了向上爬，也大肆贪污贿赂，根本不考虑如何抵御外患。因此倭寇得寸进尺，气焰越来越嚣张，连离沿海较远的地方，也频遭蹂躏。嘉靖二十八年（1549），一股倭寇入侵沿海重镇乍浦。当时的浙江巡抚，不是积极组织反击，而是叫各地筑城挡倭，消极防守。几堵墙怎挡得住倭寇侵犯？果然，倭寇以乍浦为据点，进而又侵入海盐、平湖、嘉兴、乌镇、皂林等地。倭贼所到之处，肆意掳掠，无恶不作，百姓无不切齿痛恨。

这年秋天，桐乡县城也遭到倭寇围攻。桐乡如果失陷，石门、崇福、余杭等地也将难保，杭州就有被攻陷的危险。浙江巡抚见势不妙，急忙派参将宗礼前往桐乡解围。却说宗扬将军耳闻倭寇到处窜扰掠夺，早有杀敌卫国之意。他接到命令之后，立即率领300士兵，携带一些粮草，从杭州方向沿运河北上。当他们来到绣溪桥（今运河与金牛塘交汇处）的时候，被入侵皂林的一股倭寇挡住了去路。宗扬将军不顾长途行军的疲劳，立即策马出阵。众官兵一起掩杀过去，连战三个回合，三战三捷，杀死两个倭寇头目，打得敌人抱头鼠窜，不得不暂时撤退。

第二天，宗扬将军正想起程赶路，敌人却纠合残部继续挑战。原来皂林这股倭寇，已经得知宗扬将军是去桐乡解围的，因此拼命拖住不放。这时，宗扬将军所率部队的粮食已经吃完，士兵们腹中饥饿，无力作战。面对倭贼的挑衅，宗扬将军想到了民族的尊严，百姓的苦难，怒火燃胸，便激励士兵道："国家遭患，人人有责，为国为民，众当竭力捐躯，尽忠报国！"说着他身先士卒，忍饥上阵。士兵们见将军如此忘我奋战，纷纷收紧裤带，英勇杀敌，连战几个回合，又杀死一个倭寇头目，打死一批敌人，自己也伤亡不少。

敌人连损三魁，士气非常低落。这时，一个投靠倭贼的汉奸向敌人献计说："所到官兵乃异地客军，初次到此，人地生疏，粮缺兵疲，若分兵夹攻之，无所得食，定能取胜。"倭贼得计，如获至宝，立即兵分两路，将宗扬将军围困在一块荒地上。将军想到重任在身，决定突围出去。于是他率领剩下的士兵，奋力冲杀。杀到最后，只剩下他一个人。他虽多处负伤，鲜血湿透衣甲，但仍单骑抗敌，最后终于突围而出，直奔大运河边，准备往桐乡方向而去。但是，因为道路不熟，心中十分焦急。这时，正巧河中有一渔船，宗扬将军询问道："请问渔夫，此去桐乡城多远？"那渔民回答说："七八里！"将军一听，心里凉了半截，因为渔夫讲的是桐乡土话，"七八里"，宗扬将军误听成了七百里。他想，还有七百里路程，再快也难以赶到。如今远水难救近火，再说，兵折将损，身负重伤，怎么去解围呢？想到这里，将军长叹一声道："粮尽兵损，路远莫及，此乃天意哉！"说着挥刀斩断马脚，跳河自尽。这一天正好是农历九月重阳。

宗礼将军虽然英勇献身，但皂林一战，给予倭寇以沉重打击，当地百姓无不钦佩，纷纷上书为他请功。但当时身为剿督的赵文华，对宗扬将军的战功隐而不报，妄图贪功归己。老百姓知道这个情况以后，非常气愤。大家说，朝廷不给他记功，我们给他记功。于是纷纷写疏募款，在皂林之西，绣溪桥东，建造了一座宏伟的庙宇，并在庙中塑了一座宗扬将军像。每年农历九月初九，人们便从四面八方赶来、烧香、供拜、做戏、放烟火。据传，宗扬将军死后，被封为渔船总管神，所以水乡渔民们就把农历九月初九定为他们的节日，当天停止捕鱼。这一天，各处的渔船、滚钓船、扒螺蛳船，都集中停在宗扬庙前，渔民们则上岸参加迎会庆祝，表示对抗倭爱国将领宗扬将军的深切怀念。

（选自《桐乡本是凤凰家：桐乡民间故事集》，张才发讲述，徐春雷搜集整理，王士杰主编，浙江人民出版社2014年版）

张履祥（1611—1674）是明末清初的理学家、教育家和农学家，因"祖述孔孟，宪章程朱"，被誉为"朱子后之一人"的"理学真儒"。清同治三年（1864），闽浙总督左宗棠为其捐廉修墓，并亲自题写墓碑"大儒杨园张子墓"。同治十年十二月，张履祥被朝廷批准从祀孔庙，得以跻身儒家圣贤之列。他以布衣之身而被天下士人膜拜，咸丰时曾为翰林的严辰为此赞叹道："布衣祀两庑，古今能有几？"可见这种现象在当时并不多见。

张氏世居桐乡县清风乡炉镇杨园村（今桐乡市乌镇镇杨园村），这里地处京杭大运河北岸、古皂林驿所在地（今皂林村）的西面。张履祥一生以坐馆为业，自二十三岁起，先后在桐乡、苕溪、漱浦、嘉兴、海盐、崇德等地做塾师，长达四十余年，其间往来各地，走的大多也是运河水道及其支流。此外，作为有着强烈济世情怀的儒者，张履祥关心民瘼，针对运河水利问题提出过具体可行的举措。

钟灵之地

杨园村与皂林村隔金牛塘相望，金牛塘又称秀溪（一作绣溪），是京杭大运河在桐乡境内最主要的支流之一。张履祥生于斯，长于

张履祥画像

斯，可以说是喝着运河之水长大的，从小对运河沿岸的风土人情耳濡目染，已内化为其生命中不可或缺的一部分。他徜徉其间，作《野步》诗云：

> 芳草纷纭藉麦苗，余红闲杂柳枝条。
> 渔舟半出犀溪右[①]，板击声声过野桥。

诗作中的"犀溪"即西溪，"野桥"应该就是西溪桥了。运河水系发达，正是通过无数犹如触须般的支流，其影响延伸到沿岸居民生产生活的深处。而诗意盎然的运河风光，也给张履祥的耕读生活增添了一份闲适和野趣。

据《光绪桐乡县志》卷五《建置志下》记载：

> 杨园隐居，在清风乡炉镇西三里杨园村，当西溪桥之南，为张杨园先生世居旧宅。先生自筑务本堂，每值家居，坐堂之东北隅一室中，纵横方丈，一几一榻，几上朱集一本，笔砚各一，无他物也。道光初年，堂屋犹存，今则废为桑圃，为民人张姓之产。当由邑绅严辰请署知县汪肇敏买作官产，立石为记。

西溪桥今存，横跨于国堡桥港（疑古时称作西溪、犀溪）之上，据桥梁上的石刻显示，为清咸丰七年（1857）仲冬重建。张氏世居于此，旧居就位于桥南面。到了晚年，张履祥又在老宅的基础上新建了务本堂，"与兄正叟同居，怡怡终身"（严辰《张杨园先生传》）。

---

① 原注：犀溪，予家北。

西溪桥 / 夏春锦摄

张履祥主张"耕读相兼",强调"读书是士人恒业","惟有'耕田读书'四字,子孙可以世守"。他的书斋生活颇有些枯索,经常独自坐在务本堂东北隅的一间小书房内研读朱子的著作,屋内除了典籍,只有一几一榻、一笔一砚,此外别无他物。尽管如此,这里无疑是他的精神家园,也成为后世读书人向往不已的钟灵之地。入清后住在运河下游的濮院诸生沈尧咨就曾慕名寻访,留下一首《杨园隐居》诗:

> 甄山遗旧宅[①],大隐在人寰。碧水自清浅,白云空往还。
> 高风殊落落,啼鸟尚关关。不见杨园老,凭谁一订顽。

沈尧咨,字饬臣,号山癯,少年时即仰慕张履祥学说,以孝悌为先。成人后执教乡里,从游者甚众。沈尧咨以私淑后学身份,抱着崇拜的心理,瞻仰先贤旧居,写景状物多庄重之感。只是物是人非,诗人为自己不能亲炙謦欬而感到深深遗憾。

道光初年,张家堂屋尚存,但到了光绪年间,已"废为桑圃",归本乡张福昌、张永昌兄弟所有。严辰对张履祥素所景仰,出面恳请时任桐乡知县汪肇敏将此处土地买作官产,作为张履祥的永久纪念地,并立石为记。这篇碑记题为《务本堂故址立石记》,收在严辰纂修的《光绪桐乡县志》中,署名为汪肇敏。全文迻录如下:

> 张杨园先生务本堂,故址在邑之二十三都南二图庆字圩杨园村。久已废为桑圃,为民人张福昌、永昌兄弟之产。当同治甲子浙省初复,前巡抚左爵相捐廉修墓,曾属杭绅丁松生大令丙谋

---

① 原注:宅在甄山西南二里。

于故址建立专祠。嗣因乡僻无人经理，乃请改建青镇立志书院之后。壬申之冬，前署令李煦斋刺史春穌捐廉创建墓祠，亦嫌故址去墓稍远，另于墓旁购地建造。光绪戊寅之秋，肇敏奉檄来权桐篆，特从邑绅严芝僧太史之请，捐廉购此桑地二亩，永充公产，借免异日售作他姓阴阳宅，致使先儒钟灵之地湮没不彰。仍俾张福昌、永昌承佃树桑，免其纳租正供，由县捐办，永以为例。因刊石以记之，并立四至界碑，以表遗迹而告来者。

据碑记可知，后世为了纪念张履祥，先后做过很多努力，特别是对其故居和墓地都进行了较有力的维护。上文提到的就有同治三年（1864）冬，时任浙江巡抚左宗棠捐廉修墓，还亲笔书写了墓碑。碑石虽已不存，但拓片仍流传于世，铿锵笔墨中依稀可见昔日的盛况。同治十年（1871），张履祥入祀孔庙后，左宗棠又嘱咐杭州名士丁丙于务本堂故址上兴建专祠。因考虑到乡间无人经理，便改建于青镇（今乌镇）的立志书院后，并得到时任浙江布政使杨昌浚的支持，拨专款建成，此即杨园祠。

左宗棠所题墓碑拓片

立志书院由严辰、萧仪斌、沈宝樾等于同治四年至八年（1865—1869）历时五年建成，严辰还请当世大儒俞樾书写"籣云楼"楼名，并自撰联云：

小邑溯遗踪，辅黄早已为先导；
圣朝隆祔祠，汤陆还应让后人。

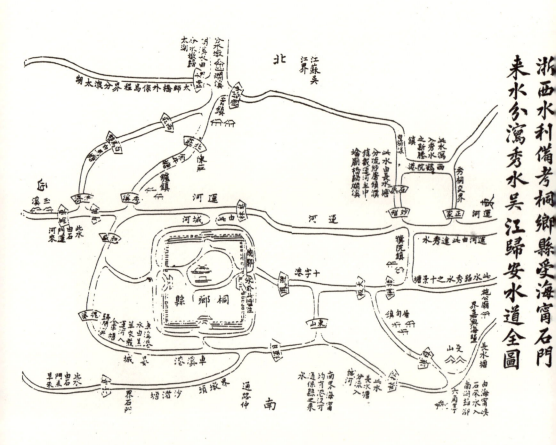

《光绪桐乡县志》中的浙西水道图

联语肯定了张履祥在理学传承中承上启下的作用，原本的布衣穷儒，超凡入圣，一跃成为具有广泛影响力的儒家圣贤，这对于地方而言真可谓文化上的一大盛事。

与曹射侯论水利

作为有着强烈济世情怀的儒者和丰富实践经验的农学家，张履祥对水利十分重视，特别是他看到了运河水利对岸边居民生产和生活的深刻影响。

张履祥涉及运河水利的见解，主要体现在《与曹射侯》《桐乡灾异记》等论述中，其中尤以《与曹射侯》一文最为集中。此文其实是一封书信，写于清顺治十八年（1661）十一月，致信对象是张履祥的友人、石门县乡绅曹序。曹序字射侯，岁贡生，祖籍安徽歙县，自祖父曹宏淮时定居崇德县（康熙元年更名为石门县）县城（今桐乡市崇福镇）。他幼时折节为学，敦伦范礼，不苟言笑；善属文，勤学嗜古，阐发经义而不拘泥于辞章。曹序为曹家长子，其下还有弟弟曹广和曹度。曹广于明崇祯十三年（1640）以弱冠登进士第，授福建汀州府推官，旋改漳州府推官，颇有政声。曹氏兄弟三人居乡时为人仗义疏财，平素对乡邦事务尤为热心，曾参与重建永安桥，还两次礼请费隐禅师驻锡福严禅寺，在石门县拥有很高的威望。张履祥正是看到了曹氏兄弟在石门县的影响力，才会致信与自己更为亲近的曹序谈论嘉兴一带的水利建设事宜，希望他们能有所作为。

这件事还要从明清之际桐乡县所遭受的天灾人祸说起。据张履祥《桐乡灾异记》及地方史志记载，从明万历后期至清朝初年，桐乡一地的老百姓所遭受的水、旱、兵灾，不胜枚举。其中与运河相关的都是张履祥亲眼所见：

明崇祯元年（1628）秋七月，海水倒灌，自海宁直入桐乡，一夜之间包括桐乡段运河在内的河流暴涨三尺有余，因盐度增加，田涸不敢灌，百姓生活用水也只能"汲井池以饮"（《桐乡灾异记》）。

清顺治二年（1645）夏，值鼎革之际，战乱频仍，皂林因处京杭大运河沿岸，且当江浙两省门户之间，向为兵家必争之地。此年上半年，张履祥正好居家，据其描述：

> 夏五月，郑兵逃归，过皂林，人相杀，聚众焚巨室，发坟墓，同宗兄弟行劫夺，缙绅主之。六月，贝勒入浙，经皂林，令率丞尉、学博、父老及举、贡生员，献牛酒以邑降。是年，皂林镇为墟，人烟绝，盗乃大起，连岁势益甚。东自嘉兴县嘉会都入桐乡，东西两八都，无非盗窟者。西自归安县舍山界入桐乡，二十、二十三两都，蔓延至二十四、二十五诸都。日夜劫杀，焚庐舍，掠子女。良民奔匿城邑者仅免。然催科急，田业荒，衣食靡给矣。讹言选西女，民大骇，亟配合，婺妇嫁且尽。（《桐乡灾异记》）

"郑兵"是指明将郑鸿逵的部队，崇祯十七年（1644）南明弘光帝委派他担任镇海将军，前往镇江防守。次年，郑鸿逵得知清军渡过长江，急忙退还福建，在路过皂林时队伍与人厮杀，趁机"焚巨室，发坟墓"，展开了大肆劫掠。六月，清贝勒多铎率部破扬州、杀史可法后，一路南下，势如破竹。桐乡知县虽"率丞尉、学博、父老及举、贡生员，献牛酒以邑降"，但清军还是遭到民间抗清力量的反抗，"皂林镇为墟，人烟绝"也就在所难免。乱世多强盗，桐乡一带的百姓深受其害。

顺治九年（1652），自五月起天旱不雨，到了七月，"河流绝，井泉竭，运河底见，行不沾履，苗尽槁"（《桐乡灾异记》）。运河之水都能见底，足见其干旱程度非同一般。

顺治十八年（1661）夏秋之际，桐乡又一次发生严重的旱情，但见：

> 运河之水逆流而西，势若奔马，支流若长水、陡门、永新、秀溪、白马诸港，急流南下，其势亦然。农人车救，罔间昼夜，是以运河之右，力虽劳而收尚有。至水所不及之处，则弥望皆枯矣！因思自运河之左以达海滨，岂有百里、千里之遥？岂有山冈之阻？量其地势高下，亦岂有几十寻丈之殊，而水之通竭，谷之有无，遂已至此？特缘农政废弛，水利不讲，浚治失时，侵占沮塞以至浅涸故尔。（《与曹射侯》）

针对这次旱情，正在海盐半逻钱福徵家设馆的张履祥顿生悯恻之心。据其描述，当时"崇德之东境，桐乡之南境，以至海宁四境之地，苗则尽槁，民卒流亡。桑柘伐矣，室庐毁矣，父子夫妇离矣，逃赋役者莫敢归，丐于途者靡所适"（《与曹射侯》）。老百姓的生活已经到了惨不忍睹的境地。

出于强烈的忧患意识，张履祥给曹序写了封长信，结合自己的研究，着重就开浚桐乡、石门、海宁、嘉兴和海盐等处的水利章程，做了周详的分析，并提出了相应的举措。他还劝曹序"以情闻之当道，专委治水之使临督其役，诸邑令长，各率其父兄子弟而开浚之，引崇邑以西之水而注之东，导桐邑以北之流而放之南，则濒海方六七十里之区，咸收灌溉之利"（《与曹射侯》）。

张履祥的建议，后来被礼科给事中柯耸采纳，并付诸实践，初见成效。

安息之所

坐落于京杭大运河之畔的杨园村也是张履祥最终的安息之所。他去世后，其家人原本将他葬于故居东南半里许，后来门人以"地非爽垲"，遂迁葬至村北方向的西溪桥南。这里作为后世纪念张履祥的主要场所，影响更加久远，凭借运河水网的便利交通，慕名而来的后学接踵而至。

康熙六十年（1721），海盐张朝晋和余姚陈梓因服膺张履祥学说，出于对偶像的崇拜，专程到桐乡对其墓地进行了修缮。当时，张家家道已衰败不堪，张履祥的如夫人及其他四位后人均未能安葬，张、陈便联合周旦雯、许醇夫、姚希颜等用范鲲刊刻《杨园先生全集》剩下的二十金，共筑三穴，将五人一并葬于张履祥墓侧。

乾隆十六年（1751），浙江学政雷鋐极力寻访张履祥遗书及其子孙，还捐资刊刻《杨园张先生年谱》，并整修了张履祥墓，又为新立的墓碑书写了碑文——"理学真儒杨园张先生之墓"。雷鋐系福建宁化人，雍正十一年（1733）进士，改庶吉士，特授编修。后历任江苏、浙江学政，累官至左副都御史。他虽贵为浙江学政，却能虚心向布衣之士陈梓问学。因仰慕张履祥学说，故撰有《张杨园先生全集序》《重锓杨园先生全集序》及《张杨园先生传》等文。雷鋐在为姚夏编《杨园张先生年谱》所作的序中说："余向见宝应《朱止泉先生集》，论当代儒者首推杨园张先生，在京师得友人收录遗书，循环读之，益信止泉之言不爽。"可见其推崇程度之高。

此后，地方官及乡绅对张履祥墓多有维护，据《光绪桐乡县志》卷五《建置志下·冢墓》记载：

嘉庆六年，桐乡李令廷辉捐俸修墓。二十三年，黎令恂复修

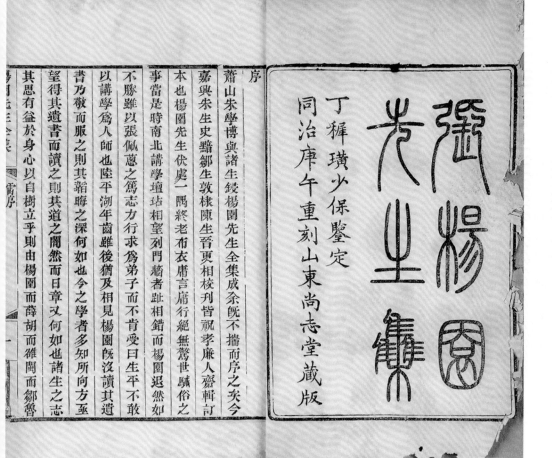

丁稚璜少保鑒定
同治庚午重刻山東尚志堂藏版

張楊園先生集

序

蕭山朱學博與諸生錄楊園先生全集成既不揣而序之矢今

嘉興朱生史黯鄒生敬棣陳生晉夏相校刋皆祝孝廉人齋輯訂

本也楊園先生伏處一隅終老布衣庸言庸行絶無驚世駭俗之

事當是時南北講學壇坫相望列門牆者趾相錯而楊園退然如

不牒雖以張佩葱之篤志力行求爲弟子而不肯受曰生平不敢

以講學爲人師也陸平湖年齒雖後猶及相見楊園既沒讀其遺

書乃敬而服之則其韜晦之深何如也今之學者多知所向方亟

望得其遺書而讀之則其道之闡然而日章又何如也諸生之志

其思有益於身心以自樹立乎則由楊園而薛胡而雒閩而鄒魯

《张杨园先生集》刻本书影

之，里人沈炳垣有记。咸丰四年，里人以碑仆松枯，请平湖顾徵君广誉为文，募同人捐资重修，始建墓门，筑石埠，补植松株。粤匪之乱，幸未遭毁。

其间，纂订重编过《张杨园先生年谱》的安徽桐城人苏惇元于道光十九年（1839）和二十年，先后两次到桐乡寻访张履祥遗迹。其《谒杨园先生墓记》写道：

> 往余纂订《杨园先生年谱》，即有志谒先生墓。去年夏，重来浙，道桐乡，迁舟入城，谒先生主于乡贤祠。询墓地不得其详，不果谒。后阅志乘，知在炉镇西溪桥。今自杭如苏，过桐，挐舟至炉镇。逾镇西行二里许，抵西溪桥，桥南百步，先生墓在焉。维舟诣墓下，焚香瞻拜。先生墓居中向西，二子从葬左右，兆域近溪边，广仅数弓。碑仆地，古松前伐，存枯根，补植者始盈把。余低回久之，感叹不已。

据苏文显示，他两到桐乡走的都是水路，特别是第二次"自杭如苏，过桐，挐舟至炉镇"，走的就是京杭大运河。苏惇元见到的张履祥墓，因年久失修，已"碑仆地，古松前伐"。他有志募资修墓，奈何"饥驱无定在，不能遂志"。直到咸丰四年（1854），其平湖好友顾广誉才完成了他的心愿。咸丰七年，董燿、沈宝椿、陆费吉哉等又做了进一步修缮，才使之"复完旧观"。

再往后，便是同治间左宗棠委托丁丙进行大修，还购置了"祭田十四亩有奇"。除了自题墓碑，又书两偈树于墓门，一为"永远防护"，一为"禁止樵采"。

到了同治十一年（1872），贵州贵筑县（今属贵阳）人李春龢出

理學真儒

忠信篤敬程朱而後惟一人

孝弟力田耕讀以外無二道

杨园墓现状 / 桐乡市委宣传部供图

任桐乡知县。他说自己幼时就钦慕张履祥的道德文章，上任第三天便跨过运河前往祭拜张履祥之墓。李春稣还捐养廉银五百金建祠宇两进于墓旁，以供杨园先辈栗主，仍题名为"务本堂"。另外还于祠前开凿了荷池，增置祭田数亩。

清代最后一次修杨园墓是在同治十二年（1873），新任知县胡日宣效仿前人，捐廉，于祠后增筑房屋三间，作为守墓人的栖息之所。

后来严辰纂修《光绪桐乡县志》，专设《桐乡八景图》，其一即《杨园瞻礼》，有诗道：

布衣祀两庑，古今能有几。吾乡得其一，杨园道在此。
墓畔建新祠，远近来瞻礼。妄欲附千秋，生圹营密迩。

进入民国后，为了响应新生活运动，桐乡士绅发起成立了"杨园学社"，声称要"以研究杨园先生一生著作，并借以发挥广大，以改良风俗人心为宗旨"（《桐邑各界组织杨园学社》）。除了研读张履祥著作，全县各界还组织前往张履祥墓举行公祭活动。为了体现对张履祥的永久纪念，民国二十三年（1934）4月在全县乡镇长联席会议上，经县长沈光熊提议，决定将炉镇改名为杨园镇。

2011年，时值张履祥诞辰400周年，桐乡市政府不仅举办了纪念大会和"张履祥与浙西学术"研讨会，还对张履祥墓进行了初步修缮。张履祥墓（文保牌写"张杨园墓"）现为桐乡市级文物保护单位，它坐北朝南，如一位披上新衣裳的历史老人，端坐于京杭大运河畔，看千帆过尽，河水悠悠。

吕留良：说与痴儿休笑倒，难寻几世好书人

当代著名藏书家韦力曾慕名到桐乡寻访吕留良遗迹，事后他在文章中写道："吕留良是一个极富传奇色彩的人物，在人们想象中，有时是学者形象，有时是医生形象，有时又是和尚形象，更多的是反清复明的义士形象，吕四娘的传说则为他的传奇又增添了一层江湖形象，那么吕留良到底是一个什么样的人呢？今天，在我的寻访中，他是一个藏书家的形象。"

这位充满传奇色彩的吕留良（1629—1683），字庄生，又字用晦，号晚村、东庄、耻斋老人等，系浙江崇德县城（今桐乡市崇福镇）人。他才华横溢，身兼学者、诗人、藏书家、刻书家、医家以及反清义士等多重身份。京杭大运河作为老崇德县的母亲河，不仅滋养了吕留良，还为其实现人生志业提供了便利，直接将他送进了明清思想史与藏书史的殿堂。

征文远近，与吴越名士相周旋

明末清初鼎革之际，思想文化界异常活跃，直接促进了文人交游与结社的兴起。在此过程中，京杭大运河如一道桥梁，以其特有的水运优势将吕留良与整个时代联系在一起。

晚邨先生小影

吕留良画像 / 〔清〕谢彬绘

吕留良是遗腹子，由三兄吕愿良抚养。愿良为人豪迈，广交游，举澄社于崇德，东南士子与会者达千余人。三年后，同邑名士孙爽又会同陆文霦、吕宣忠等创立征书社，时年十三岁的吕留良以诗文获得孙氏激赏。孙爽对吕留良寄予厚望，曾在其诗卷后题词以为勉励："吾辈今日无可为，惟读书力学，事事当登峰造极，定不落古人后。"亲友的引导与嘉许，对吕留良多有激励。

由于从小耳濡目染，成年后的吕留良也热衷于结社，他与陆文霦相呼应，一时间群贤毕至，盛况空前。据吕葆中《行略》所述：

> 时同里陆雯若先生方修社事，操选政。每过先君，虚左请与共事。先君一为之提倡，名流辐辏，玳筵珠履，会者常数千人。女阳百里间，遂为人伦奥区。诗筒文卷，流布宇内。人谓自复社以后，未有其盛，亦拟之如金沙、娄东，而先君意不自得也。……高旦中先生常曰："晚村百冗蝟毛，八面受敌，则神愈闲，气愈摄，精采愈焕发，殆神勇耶？"丁酉倡社邑中，数郡毕至。敦盘裙屐，宴乐纷沓。先君指挥部署之，终会不失一匕箸，人服其综理之密。他人或分任什一，率不能办也。

吕留良以自己超强的组织能力和广阔的人脉关系，"倡社邑中"，一时间"名流辐辏，玳筵珠履，会者常数千人"。因此时人将其文会与复社并举，也将他视为与创建复社的名士张溥和周钟一样的人物，一时传为美谈。

除了在崇德县，吕留良还一度参与主持嘉兴府的鸳湖大社。据孙琮《冰斋文集序》记载："时鸳湖大社奔走海内，主坛坫者则有吕晚村、万吉先，而莘皋先生亦其一也。"崇德、嘉兴之间有京杭大运河一水相连，吕留良南下北上，嘉兴都是必经之地，所以留下了不少有关嘉兴的诗作，如早年所作的《乱后过嘉兴》三首，描述朝代更替之际的生灵涂炭；稍后的《游东塔寺》《登真如塔》《游鹤洲》《坐鹤洲梅花下》《重过鹤洲》等则是登高览胜之作，其中不乏"不如生作鹤洲岭畔泥，长与梅花葬魂魄"这样的传世名句。

青少年时代的吕留良正是通过各类结社活动结识了钱谦益、黄周星、高斗魁、张履祥、曹序、吴自牧、杜祝进、陆嘉淑及黄宗羲、黄宗炎、黄宗会兄弟等名士。他们多是重志节的好古负奇之人，其中不乏藏书家，吕留良之秉性志趣，颇受这些人的影响。

特别值得一提的是吕留良与黄宗羲兄弟三人以及钱谦益的交往。黄氏兄弟是余姚人，钱谦益是常熟人，依托浙东运河和江南运河，他们过从甚密，开展了广泛而深入的学术交流。

吕留良与黄宗炎、黄宗会兄弟是通过吕愿良结识的。初识后，黄氏对吕留良的印象极佳，宗炎后来有诗夸赞留良："君时甫十四，双目炯吐锐。气薄层云高，诵读时嘻嘻。"确认过眼神后，彼此便引为知己。后来吕留良又撮合了妻妹与宗炎之子黄廉远的婚事，友情之外又多了一层亲情，正所谓亲上加亲。

顺治十六年（1659），黄氏兄弟与吕留良在杭州重逢。第二年六月，黄宗炎便携好友高旦中前往崇德拜访吕留良，在吕家住了一个多月。八月，黄宗炎又将留良介绍给长兄黄宗羲，两人遂于杭州孤山订交。因为彼此赏识，康熙二年（1663），吕留良诚邀黄宗羲到梅花阁教授子弟，直至康熙五年。其间，吕留良与黄宗羲、高旦中、吴之振、吴自牧时相唱和，黄宗羲作有《水生草堂唱和诗》。当时他们还一起选编《宋诗钞》，"联床分擎，搜讨勘订"，均做出了贡献。

顺治十八年（1661）三月，他们一起去常熟拜会诗人、藏书家钱谦益。当年九月是钱氏的八十大寿，吕留良本想作文以贺，却被钱氏婉言谢绝。留良十分仰慕钱氏，趁机请他为自己改字，钱氏遂字之曰

"留侯"，还专门作了《吕留侯字说》，其中说道：

> 昔者司马长卿慕蔺相如之为人，名曰相如。长卿之为词赋，合綦组，列锦绣，顾能希风折节，自附于蔺相如，可谓有志矣。其生平驰逐于富贵功名，晚而自托慢世，所慕于蔺相如者，徒以名而已矣。
>
> 吕子起家布衣，足迹不出闾里，非有如子房五世相韩，破产结客，东见仓海君，震动天地之事。今吕子名曰留良，则已兼子房之名与号而有之，余又字之曰留侯。吕子之于子房，何啻长卿之慕相如而已乎！

钱谦益于文中对吕留良进行了表扬，将其比作辅佐刘邦建立汉朝的张良，从而表达了"余之更其字也，窃有望焉"的用意。吕留良此行，还带去了自己整理的吕愿良诗集，有意请钱为之作序。钱氏欣然允诺，写就《吕季臣诗序》一文，其中云："语溪之士，游于吾门者十余人，皆怀文抱质，有邹、鲁儒学之风……"可见当时崇德士子与钱谦益之间的往来还是颇为频繁的。

吕留良最后一次去常熟看望钱谦益是康熙三年（1664）四月，同行的还有黄宗羲、黄宗炎、高旦中和吴之振。当时，钱谦益正在病中，便以后事相托。次月，钱谦益卒，黄宗羲有诗《钱宗伯牧斋》悼念之，从其末句"平生知己谁人是，能不为公一泫然"中，可见钱氏在东南士子心中的崇高地位。

广交游的好处是可以学从众师，吕留良的前半生从中获益匪浅。但随着遗民意识的强势回归，他开始有意识地远离人群，企图做回真实的自己。其《留别社中诸子》一诗颇值得玩味：

雾雨连吴越，真成浩荡游。孤花明野壁，归鸟息扁舟。

草迹随人远，江潮带客流。诸君能见忆，一为望茅洲。

据严鸿逵《释略》说，"时方征文远近，与吴越名士相周旋，然非其本意也。孤花、归鸟，无日不思杜门息机，将随草迹而自远，不逐江湖以共流"。留良别意已明，于是"摒挡一切，与桐乡张考夫、盐官何商隐、吴江张佩葱诸先生及同志数人，共力发明洛闽之学，编辑朱子书，以嘉惠学者"（吕葆中《行略》）。

构书良不易，子孙守勿替

吕留良自幼聪慧，由于受到家庭和师友的熏染，一生酷嗜藏书。他藏书甚富，用查慎行的话说："吕氏藏书之富足与藏书大家秀水朱彝尊、海宁马思赞相埒。"（《敬业堂文集·代陈世南柬吕无党》）其藏书之处亦多，可考者有南阳讲习堂、南阳耕钓草堂、明农草堂、南阳村庄、天盖楼、风雨庵、宝诰堂等。其中尤以建于康熙初年的南阳讲习堂闻名遐迩，所藏以"宋、元、明抄本为多"（陈祖法《古处斋集》）。其藏书印有"吕氏藏书""吕氏藏书之印""南阳村庄吕晚村藏书""南阳耕钓草堂""东莱吕氏明农草堂藏书印""御儿南城吕氏家藏印""御儿吕氏讲习堂经籍图书""御儿吕氏讲习堂印"等。

据张履祥记载，吕氏"先代传书既富，而生生之资又足"（《杨园先生全集》卷七《与吕用晦二》），可见其藏书一部分来自前代的累积，更多的则是从四方求购所得。他得书的地域范围，大体不出江南运河流域。沿着运河水道，吕留良或购或抄，在先人积书的基础上，进一步丰富了自己的藏书。

吕留良自述其早年曾向书船买书。据《书旧本〈朱子语类〉》一文记述：

> 壬辰夏买此书，为书船所欺，自三十一卷至六十六卷俱阙，而自此本至末凡十本又重出。全书又多为庸妄人所批抹，侮圣人之言，小人而无忌惮至此。每展阅时，恨怒无已。书此示儿辈：读书无论圣言，当加敬畏，即古人文字亦不得轻肆动笔。且以戒与书客买书，当细对卷叶，翻看污损，勿轻信而怠忽焉也。

壬辰即顺治九年（1652），吕留良时年二十四岁。这年夏，他从书船购得一部《朱子语类》，不仅缺了其中的第三十一卷至六十六卷，而且还有十本重出。更令其愤慨的是，全书被"庸妄人"胡乱批注，言语肆无忌惮，实在有辱斯文。

"书船"又称"湖州书船"，是明清时期湖州一带以船贩书的书商群体。他们借助四通八达的水网河道，特别是便利的运河水道，浮家泛宅，往来于江浙之间。书船所售卖之书质量良莠不齐，吕留良此次因疏忽而购得下品，心中大为不悦，遂将购书经历记录在案以警示后人。

吕留良最知名的一次购书经历是康熙五年（1666）委托黄宗羲求购山阴（今绍兴）祁氏澹生堂藏书。澹生堂由祁承㸁所建，承㸁（1562—1628）字尔光，号夷度、旷翁等，万历年间进士，历任山东、江苏、安徽、河南等地地方官。因酷嗜典籍，祁承㸁利用在各地为官的机会，广收罗致，聚书达十余万卷。祁氏第二代如祁骏佳、祁彪佳等亦为好书之人，在他们手上，家藏虽有增益，但晚年后仍无法摆脱藏书散佚的命运。

吕留良此次从澹生堂得书三千余册，其中最多的是宋元文集，包括卫湜《礼记集说》、王称《东都事略》、宋田锡《咸平集》、苏舜钦《沧浪集》、陈傅良《止斋先生文集》、周伯琦《周翰林近光集》等。好书得之不易，最怕得而复失。为此，在得书之始便深具忧患意识的吕留良不忘告诫家人，其《得山阴祁氏澹生堂藏书三千余本示大火》二首诗写道：

> 阿翁铭识墨犹新，大担论斤换直银。
> 说与痴儿休笑倒，难寻几世好书人。
>
> 宣绫包角藏经笺，不抵当时装钉钱。
> 岂是父书渠不惜，只缘参透达磨禅。

"大火"是吕留良长子吕葆中的乳名，吕留良有感于祁氏藏书的命运，特作此诗以为警示，希望他能从中吸取教训，不使散书的悲剧在自家重演。其中"说与痴儿休笑倒，难寻几世好书人"两句，以笑写苦，最能看出藏书家对身后事的无奈。为了让后辈铭记于心，吕留良还有一方特别的藏书印，印文为"构书良不易，子孙守勿替"，俨然一位严父的耳提面命，用心可谓良苦。

此次吕留良托黄宗羲购书，两人却闹得很不愉快。据全祖望说，吕留良"以三千金求购澹生堂书，南雷亦以束脩之入参焉。交易既毕，用晦之使者，中途窃南雷所取卫湜《礼记集说》、王偁（称）《东都事略》以去，则用晦所授意也"（全祖望《小山堂祁氏遗书记》）。尽管后世对全祖望之说多有质疑，但祁氏所藏的《礼记集说》与《东都事略》两书确实为吕留良所得。此次龃龉之后，两人虽未绝交，但黄宗羲不再到吕家坐馆教书，而是回到浙东讲学去了。

吕留良的藏书，也有不少是通过借抄得来的，与他互借抄录的多是京杭大运河两岸的藏书家。陈心蓉所著《嘉兴藏书史》中就说：

得山陰祁氏澹生堂藏書三千餘本

示大火

阿翁銘識墨猶新大擔論劫換直銀說與癡兒

休笑倒難尋幾世好書人

宣綾包角藏經箋不抵當時裝釘錢豈是父書

渠不惜只緣縈透達磨禪　祁氏泰臨濟宗

清康熙四十二年（1703）《晚村先生家训真迹》内页

"明末清初许多著名的藏书家，如钱谦益、陈士业、吴之振、黄宗羲、高承埏、黄虞稷、周在浚、张芳等，都曾与留良互借抄书。"比如康熙十二年（1673）春，吕留良专程行舟到南京访书，其间得以结识黄虞稷、周在浚、徐州来、张芳、王槩、王潢、胡徵、倪灿、李子固诸家。其《答张菊人书》交代了此行的目的：

> 自来喜读宋人书，爬罗缮买，积有卷帙。……近者，更欲编次宋以后文字为一书，此又近乎诗矣。室中所藏，多所未尽，孟浪泛游，实为斯事。至金陵见黄俞邰、周雪客二兄藏书，欣然借钞，得未曾有者几二十家。行吟坐校，遂至忘归。

吕留良因喜读宋人之书，遂"爬罗缮买，积有卷帙"，但考虑到"室中所藏，多所未尽"，便北上南京访求，目的是"编次宋以后文字为一书"。

黄俞邰即黄虞稷（1627—1689），家有千顷堂藏书楼，声名远播。吕留良到黄府拜访，主人设宴款待，有诗记之：

> 十年前识旧春坊，喜说无双江夏黄。
> 自是梦魂时照屋，岂期醉影昼登床。
> 帖临定武肥钩本，画辨宣和小篆章。
> 斗室风流看未足，争教老眼不加狂。
>
> 莫嗟难借似荆州，生子谁如孙仲谋。
> 红豆独留《千顷记》，绛云曾怪六丁收。
> 日钞经学公家事，零落《崇文》内府愁。
> 我亦牛腰寻几束，较雠千里置书邮。

钱谦益曾作《黄氏千顷斋藏书记》，自云"从仲子（黄虞稷）借书，得尽阅本朝诗文之未见者"。以钱氏藏书之富，尚能从千顷堂见到未见者，足见黄氏藏书之丰赡。这也难怪吕留良到黄府观书后会发出"斗室风流看未足，争教老眼不加狂"的惊叹。

周雪客（1612—1672）即周在浚，系周亮工之子。他因仰慕吕留良，故对吕氏的到访表现出相当的热情。吕留良起初有《访周雪客留饮》诗二首，其一写道：

> 遥连堂下雨苔钱，堂上读书趺隐砖。
> 此世界中宁有几，但相逢处莫徒然。
> 微凹宋砚轻留墨，软皱宣炉静吐烟。
> 手录《焚余》双泪落，未教人看《小斜川》。

后又有《再集雪客遥连堂次前韵》二首，其一云：

> 我来君恨晚，云散水方东。地下孤琴泪，人间一笛风。
> 检书摩印识，洒酒酹花丛。此意难消歇，年年鹃咮红。

诗作中，周雪客对吕留良有相见恨晚之意，自述其父周亮工生前就对留良甚为欣赏，爱其文而想见其人。因为有这样的前缘，留良如愿以偿，不仅得观周氏遥连堂的珍本秘籍，还得以对其所藏的宋砚、宣德炉等金石古玩寓目把玩。他们有许多共同的爱好，总有聊不完的话题。周雪客此前一直在搜集其父周亮工的佚文，当时正巧编成《栎园焚余集》，便借机请留良作序。留良不仅欣然同意，还对雪客的这份孝心与文心给予高度肯定。

作为嗜书如命的藏书家，见过黄、周二氏的藏书后，吕留良岂能

崇福镇中山公园内的吕园 / 吴富江摄

无动于衷。好在两家对其均礼遇有加，十分慷慨，"欣然借钞，得未曾有者几二十家"。其中黄虞稷家有一种杨维桢集，比吕家所藏的版本内容多出数倍，留良欣喜若狂，一心想查对抄全。他在给儿子的家书中坦陈："书籍留人，恋恋难释，意且在此结夏，大约秋初作归计耳。"（《谕大火辟恶帖（三）》）因抄书而逗留南京，回家的行程往后足足推了半年有余。

其间，由于时间和精力有限，也由于用以核校的图籍远在老家，吕留良便将部分所借之书邮寄回崇德，由家人代为誊抄。他在家书中嘱咐说：

> 今寄归李伯纪《梁溪集》九本，可向曹亲翁处借福建刻本一对，无者方录出，亦可省些工夫。又晁说之《嵩丘集》七本，书到即分写较对，速将原本寄来还之。两家极珍惜，我私发归者，当体贴此意，勿迟误，勿污损也。（《谕大火辟恶帖（三）》）

从信中可知，周、黄两家虽慷慨出借，但都希望吕留良能在南京完成抄录，并且速借速还。吕留良虽违背约定，但于信中交代家人"勿迟误，勿污损"，可见其心中是颇为惶恐且愧疚的。

乞食无策，卖文金陵

吕留良的南京之行，除了访书，还有发售天盖楼所刻之书的业务。他在写给潘美岩的信中说："年来乞食无策，卖文金陵，亦止僦寓布家，自鬻所刻。"（《答潘美岩书》）但因自己"并非立坊"，起初只能委托当地书坊代为销售。

当时南京的书坊主要有两类：

同邑諸子參定　門人子姪㸁較

不亦說乎

希學以自得之驗亦使學者自思之也夫聖人非以學為強人之具也然其為說惟學者自知之耳蓋謂古今之傳三於學而學之徒〇非〇山〇外〇樂三

〇我〇也〇欵〇如〇多蘩之〇說〇我〇若道即〇忠〇是〇學便不足於古今人所自有之心夫人非其所好則不可以終日為其事而勉強以圖之則不崇朝而思去為學之所以歷久而尊者則以人所好

清康熙十四年（1675）天盖楼刻本《天盖楼偶评》内页
（见《吕留良诗笺释》）

其一为门市书坊，零星散卖近处者，在书铺廊下。其一为兑客书坊，与各省书客交易者，则在承恩寺。大约外地书到金陵，必以承恩为主，取各省书客之便也。凡书到承恩，自有坊人周旋可托。其价值亦无定例，第视其书之行否为高下耳。某书旧亦在承恩寺叶姓坊中发兑，后稍流通，迁置今寓，乃不用坊人。（《答潘美岩书》）

门市书坊分散于各处，直接向购书者售书，类似于现在的独立书店。而兑客书坊则集中在承恩寺，相当于图书的经销商，各省书客将书运到南京后再由他们分销各地。给吕留良做经销的是一位叶姓书坊主，因留良一年不到南京，"颇萌欺蚀之意"，留良只得委托友人前去交涉。此人有些无赖，"索之不吐"，于是吕留良又写信给徐州来，希望他能与周雪客一起替自己出面，"以法弹压之"（《与徐州来书》）。

吕留良刻书因精选精刻，内容又契合市场的需要，所以很受欢迎，生意也越做越大。康熙十四年（1675）底，他派长子吕葆中前往南京负责售书事务，临行前有一番详细的交代：

至无锡吊高汇旃先生，即行。若主人坚留，停日许则可，不可久。以遗书、《惭书》致施虹老。凡有友，即嘱访宋人文集及《知言集》稿子，不可忘。若见尝（常）熟陆湘灵名灿者，索其旧稿。无锡华氏有《虑得集》，便则求之。问顾修远家尚有书可访否。有十二科程墨朱卷未见者，亦要寻。……有船归，即寄所作文字来。……至京，先具帖拜杨宅乔梓，致书。次日即往谒徐州来先生及子贯，致书。以次拜周雪客、龙客、园客、黄俞邰、赞玉、倪闇公，各致书。（《谕大火帖（十三）》）

高汇旃即高世泰，东林党首领高攀龙之侄，崇祯十年（1637）的传胪。其他如施虹老、陆湘灵、华氏、顾修远等，应都是留良的旧相识。

信中反复提到无锡，可知吕氏父子从崇德到南京，这里是必经之地，借此可以证明他们北上南京走得最多的就是京杭大运河。多次往返，他们在运河沿岸结识了诸多文朋诗友，每次路过总不免要顺路拜会并通过他们寻访秘籍。而从"有船归，即寄所作文字来"可知，当时父子间的通信也是依托南北往来的航船捎带的。

十多年前，北京匡时2012年春拍推出"故国情怀——明遗民书画作品专场"，其中有一组与吴之振相关的书法、绘画作品，格外夺人眼球。这个系列共十四件标的，由吴之振唱酬墨迹、自书墨迹、画像等六大类组成。这些作品聚焦式地再现了吴之振人生轨迹中的多个高光时刻，加之黄宗羲、王士祯、陈廷敬、张玉书、汪琬、吕留良等鸿儒巨子的烘云托月，吴之振作为清初诗坛一员骁将的形象随之丰满立体起来。

余家语溪上，门前语水清

吴之振（1640—1717），字孟举，号橙斋，晚号黄叶老人。清代诗人，《清史列传》称："康熙初年，山林诗，之振最有名。……《课蚕词》十六首，推为绝唱。" 可见当时他在诗坛的影响力。

吴之振出生于崇德县洲钱南前村（今洲泉镇南泉村）祖居，洲泉位于桐乡西南部，虽有河道纵横，却无官塘大路，是桐乡境内少数几个大运河没有流经的乡镇之一。据徐焕《吴母范太孺人传》记载："时当胜国之际，所在盗寇剽掠。吴故甲族，尤盗所注目，遂自洲泉迁住城中。"

吴之振画像 / 见《清代学者像传》

迁至崇德县城后，吴家住在城西的横街上，新居名守愚堂，由兰庆堂、玉纶堂、寻畅楼、鉴古堂、橙斋书室、巷南书屋等构成。门前有河，京杭大运河故道正好从其旁穿城而过。吴之振长诗《冰船》中有几句写到自家的枕水生活：

> 余家语溪上，门前语水清。平桥架低岸，桥下艇子横。
> 篙师唱欸乃，两桨趁晴明。中舱安几榻，鼾睡甜如饧。
> 开窗挹远山，诸态毕献呈。船头堆酒缶，船尾庋茶铛。
> 蒲帆翦十幅，满挂飞鸢轻。

崇德县城的水陆交通，毕竟比乡下要方便许多。特别是借助运河的便利，成年后的吴之振得以南下北上，或求取功名，或广结善缘，从而使自己成为名噪一时的文化风云人物。

吴之振的科举之路并不顺利，他虽于顺治十年（1653）应童子试并考中秀才，但之后在康熙二年（1663）和康熙五年先后两次参加乡试，均名落孙山。无论是童子试，还是乡试，吴之振都要借助京杭大运河到嘉兴府和省城杭州应试。或许是因为路途较短，来去又颇为频繁，所以没有留下相关诗文。

作为诗人的吴之振，用大量诗歌描绘京杭大运河及其沿岸的风土人情是在后来的两次北京之行中。虽然诗作有所散佚，但基本呈现了清初京杭大运河两岸的风貌，以及作者旅途中的真切感受。

他的首次北京之行始于第二次乡试落榜之后的康熙五年（1666）秋，至次年春夏之交返程，其目的据郁震宏推测大约是"纳资捐贡"，即花钱买一个贡生的出身。考察吴氏按时间顺序编定的《黄叶村庄诗集》，当自《泊舟自庆庵赠僧研庵》始。其前一首题为《丙午八月八日，沈甥率其妻子归郜村旧业，余以入省赴试，不及送行，口

崇福横街 / 翟海平摄

占绝句二首赠别》，说的就是第二次动身去杭州参加乡试的事，行色匆匆，字里行间流露出他迫切追求功名的心理。

吴之振从崇德县城赴京，亲友们相约在县城北门为其送行。他自己没有留下用以告别的诗作，而疡疽发作不能前往送行的吕留良却托人送来了赠别诗《送孟举北游》，其中有"从来未有经年别，匆遽轻为去国图"之句，既表达了惜别之情，又对吴氏的北游保留个人意见，"轻为"二字即能看出他的这种态度。

《泊舟自庆庵赠僧研庵》是我们所能见到的吴之振此次北游途中作的第一首诗。诗云：

> 烟云长为护幽居，白板双扉许客窥。
> 芳草绿深闲不借，木樨香好满军持。
> 山中已扫高人迹，壁上还题逸士诗。
> 留得灵岩风味在，香炉茗碗总相宜。

自庆庵又名横泾庙，明代张所望和超尘和尚建，原为苏州府地界，今已划归上海徐汇区龙华街道。诗中描述，自庆庵远避尘嚣，确是高人逸士幽居的理想之地。吴之振平生好佛，素喜与出家人为友，此次北行或是专程前往自庆庵访友，不然没有必要舍近求远，绕道而行。

与之相识的研庵法师，生平不详，只知是明清之际颇具声望的继起和尚的高徒。继起和尚俗姓李，法名洪储（又作弘储），字继起，号退翁，曾先后住持台州东山寺、天台国清寺、苏州灵岩寺诸刹，飞锡之处，宗风远播。另据夹注得知，庵内还留有名士徐昭法的题句，真可谓山不在高，有仙则名。

运河崇福段 / 李力群摄

京杭大运河崇福春风大桥段夜景 / 金炳仁摄

京杭大运河崇福春风大桥段雪景 / 金炳仁摄

打叠闲情不忆家，偏憎归梦绕天涯

这次北行，吴之振直接写到京杭大运河的诗作还有不少。离开自庆庵以后，他的船就驶入苏州境内的运河段，收录在《黄叶村庄诗集》中的作品有《宿望亭》《常州歌》《登金山寺》《宿瓜州》《黄河夫》《桃源县》《渡黄河》《过峄县》《万年闸逢浙僧》《峄山湖》《谒仲夫子庙》《武城》《连儿窝》等近四十首之多。从江苏到河北，正是一条沿着运河由南到北的水路行程。

《宿望亭》写的是苏州的望亭镇，位于今相城区西北部，京杭大运河穿镇而过。望亭古称御亭，为三国时孙权所建。《舆地纪胜》云："（隋）开皇九年置为驿，十八年改为御亭驿。"入唐后，李袭誉任职该地时又改成望亭驿。后来白居易作《望亭驿酬别周判官》诗，其中有"灯火穿村市，笙歌上驿楼"之句，可见此地当时就已市井喧哗。

吴之振在望亭过了一夜，其《宿望亭》诗写道：

> 十里横塘得得行，孤蓬去住寄浮萍。
> 平芜满眼双牛背，庐落惊心一望亭。
> 官路舟车还历鹿，人家灯火半青荧。
> 斜阳故作殷红色，衬得阳山分外青。

诗人笔下的望亭，山清水秀，与之前的乡野古庙相比，多了许多人间烟火气。运河的黄金水道与荒郊旷野的小溪流也不同，因是官道，南来北往的舟车络绎不绝。行舟至此，吴之振心中方才泛起一丝背井离乡的浮萍之感。

继续向北，过无锡时无诗。《常州歌》有八首，以近于鄙俚之句，描述常州段运河两岸农人遇旱汲水时的艰辛。据诗前小序交代：

> 常州岸脊高如山，桔槔三步相接，水始得上溉。农夫学耶许声，一唱百和。桔槔戛击，与歌声相杂，惜有声无字，情意未能宣达。余为作《常州歌》八章，述其终夏辛瘏，不敢惰偷，慰以收获伊迩，无萌尤怨。欲使易为传诵，故辞句近于鄙俚，庶几采风者一留意焉。

运河边的堤岸有高有低，常州地段的高如山，"桔槔三步相接，水始得上溉"，道出了农人汲水灌溉的艰难，好在农田水利技术发挥了奇效。尽管不惧辛劳，怎奈临了还是要"十分收得总输官"，可见比天灾还要可怕的是官府的苛捐杂税。诗人所见到的是集体劳作的场面，桔槔敲击的声响与农夫们的劳动号子混杂在一起，颇为壮观。这些亲见亲闻的民生疾苦，引发了诗人的无限感慨。吴之振以诗记之，是希望有朝一日观风者能够留意，所以写得态度鲜明，讽刺辛辣，显示了一位书生的忧世情怀。

赶路之余，天性疏宕不拘的吴之振不忘借机寻访运河两岸的名胜古迹。过了常州便来到长江口上的镇江和扬州，这里有天下闻名的金山寺和瓜州隔江相望，又岂容错过。《登金山寺》云：

> 收拾烟峦四望攒，山腰斜处一凭栏。
> 笔端已挟风涛壮，眼界方知天地宽。
> 低亚女墙围佛院，丁冬斋鼓隐经坛。
> 辘轳不汲中泠水，何用丰碑被汝谩。

金山寺依山而建，海拔虽不高，气势却非凡，行到山腰处凭栏眺望的诗人已被滚滚长江的惊涛骇浪所深深震撼。"眼界方知天地宽",恐怕说的不仅仅是眼前的壮阔之景,更是诗人首次远行的人生体会,也包含了对未来的某种期许。

《宿瓜州》云:

> 打叠闲情不忆家,偏憎归梦绕天涯。
> 眼前儿女争梨栗,却是邻舟语笑哗。

随着离家的距离越来越远,甫一跨过长江,原本打算"打叠闲情不忆家"的诗人心中便泛起莼鲈之思。那一夜,他突然做起了"归梦",梦见家中儿女在自己跟前"争梨栗"的温馨一幕。待一觉醒来,发现"却是邻舟语笑哗",心中不免怅然。

其间,他还有诗寄堂侄吴自牧。《寄自牧侄》云:

> 别来研北共谁商,镇日咿唔绕画廊。
> 弗使精神专会计,致令诗句失清狂。
> 尊空竹叶襟期俗,坐有梅花笑语香。
> 待得槐黄枫叶落,也欹霜帽策寒缰。

诗中,吴之振向吴自牧传达了自己在外漂泊的孤独之感,遇事也无一人可以相商。吴自牧(1634—1677),名尔尧,字松生,又字自牧,邑庠生。他虽是吴之振的堂侄,年龄却要大出六岁。在家族中两人因志趣相投,关系最为密切。吴自牧能被历史记住,是因为他和吴之振、吕留良一起选编了《宋诗钞》。

除了家人,吴之振时常想念的还有曾经朝夕相处的师友们,其中尤以吕留良为代表。此次北上途中,有《九日》《食蟹怀晚村》《怀

晚村》三题五首诗涉及吕留良。其中《怀晚村》云:

> 襆被仓皇走异乡，深惭教语慰披猖。
> 霜团白练侵衣絮，月放银盘照屋梁。
> 吾党自应严出处，此心原不滞行藏。
> 个中只有兄知我，藉藉讥评恐未当。
>
> 兄患疡疽势正啴，梦中语笑报平安。
> 几回共把书编读，两月真同啐咔看。
> 可语兀谁那对酒，埋愁无地况寻欢。
> 耦耕再复逾前约，如此黄河箭激湍。

正如上文所言，吕留良对吴之振北上的动机是持不同意见的，作诗赠别时曾有所规劝。吴之振此诗便是对此做出的回应，同时传达了自己对吕留良的感念和牵挂之情。

重阳节前后，吴之振已走到大运河与黄河的交汇处。平生第一次来到黄河面前，显然被它的恢弘气势所震撼，作了《黄河夫》和《渡黄河二首》以记其盛。从后者的描述中可以看出，与运河水路相比，"浪急舟频撼，沙回岸渐盘"的黄河更为凶险，以致他只得停下脚步，在黄河口一住就是四天。

黄河在其笔下，野性难驯:

> 河水逆其性，横怒无安流。皓旰失故道，湏洞驰奔牛。
> 黑云卷黄沙，白浪吹不休。遥瞩枯杨丛，人烟聚一丘。
> 日暮犹乞火，夜半无停舟。旋溜改崖岸，盘涡长沙洲。
> 屋舍荡芦苇，平野迷田畴。崩雷击砰磕，老蛟馋膏油。

支祁掣锁钥，天吴拥旌斿。闪烁眩万状，光怪腾簸蹂。
金堤一朝决，势迅诚难收。

以上是《黄河夫》中的句子，再现了黄河的汹涌澎湃。诗中还着重描写了黄河水患给沿岸居民带来的巨大灾难，以及人们试图驯服黄河所作出的种种努力。最后以对黄河夫形象的刻画，表现两岸平民生产生活的艰辛，难怪后世评点家杨际昌要在其《国朝诗话》中赞誉吴之振"五言古体《黄河夫》篇，直追少陵矣"。

此行，吴之振还写到路过江苏桃源县（后改名泗阳县），山东峄县（今枣庄市峄城区）、万年闸、峄山湖、仲夫子庙、武城、桑园，以及河北连儿窝（今以河为界，东岸连镇镇属于东光县，西岸连镇乡属于景县）的情形。这些地方由南往北依次分布于京杭大运河两岸，是每一个沿运河南下北上者的必经之地。

归去诗情殊跌宕，春来酒量亦峥嵘

在《黄叶村庄诗集》中，第一次北上的诗写到《连儿窝》便戛然而止，紧随其后的一首为《与马问答诗四章》，已是次年返程时所作。有意思的是，连儿窝以后的行程正可以从这些返程时所作的作品中得到弥补。

据《与马问答诗四章》的小序可知，吴之振于来年（1667）的二月十六日"自崇文门出城"，先是坐马车，后改为"舟行"。其《舟行第一日》诗云：

蘸堤新柳未毵毵，扑面和风意已酣。
我赋归欤迟燕子，输他社日到江南。

旅居京华约半年的吴之振归乡之心切，溢于言表。又恰逢收到千里之外的家书并吕留良的手札，"刺刺深闺苦劝归，殷勤老友念同衣"，所以恨不能在社日那一天就赶回家中。

出了北京城后，吴之振须到通州张家湾上船南归。张家湾作为京杭大运河的北端起点，自辽金以来因通惠河的开凿和潞河的通运而逐渐发展成为重要的水陆交通枢纽和物流集散中心，所以有"大运河第一码头"之誉。

进入天津境内的运河后，吴之振沿途作有三首诗，分别为《过阳村微雨》《桃花口看落日》和《行船号子》。《过阳村微雨》中的"阳村"应为杨村之误，即今天津市武清区杨村街道。桃花口在今天津市北辰区北仓镇桃口村，元代至元年间设有驿铺，到了明清时代已是远近闻名的水陆码头。吴之振在《行船号子》小序中说：

> 自张家湾至天津，通惠河二百四十里，沙渚壅塞，行舟甚艰。长年三老高声呼唱，使齐其力弗后先，敛其气弗腾跃，专其心弗散佚。一夫唱字，群夫和声，名曰"打号子"，其声酣喧径率，弗若吴歌宛转可听也。因作《号子》四章，俾歌之，卧而听焉。

小序中的"通惠河二百四十里"亦是吴之振的误记，从张家湾至天津这一段当为潞河，即所谓的北运河。这段水路因"沙渚壅塞，行舟甚艰"，所以船上常年雇有三老负责"打号子"。在吴之振看来，这号子声实在不如老家的吴歌婉转悦耳，殊不知是强烈的思乡之情在作祟。

吴之振曾在天津的静海过夜，据《宿静海闻歌声有感》可知，他是住在船上的，醉意阑珊之时，一阵突如其来的琵琶声"无端触耳增凄绝"，扰得诗人无法入眠。

吴之振此次返乡，一路诗酒慰愁肠，酒量也越来越大。进入河北省境内，所作的《晓泊青县》最能透露他彼时的心境：

> 墓树丛鸦闹晓更，周遭小市簇孤城。
> 倒流水激鱼儿上，过渡人稀艇子横。
> 归去诗情殊跌宕，春来酒量亦峥嵘。
> 个中便得江山助，可是工夫次第成。

再往前便又写到连儿窝、桑园等处，新作之诗的题目中也多有"重过"字样。"近乡情更怯"，故乡的风物如滔滔运河水一般在他的心中起伏跌宕。一组《六忆诗》写到桑葚、梅花、风筝、黄鹂、笋、海棠，无一字不打上乡情的烙印。

吴之振于康熙六年（1667）春夏之际回到家中，回首此次北游，所受运河之惠实多。在南归路过扬州时他有感而发，作《泊扬州有感》诗道：

> 千古兴亡一叹嗟，那堪回首听悲笳。
> 伤心呜咽邗沟水，血泪斑斑几道斜。
>
> 把月吟风是也非，千年化鹤定来归。
> 凭栏自有无穷意，不向红桥吊落晖。

"邗沟"即淮扬运河，春秋时为吴王夫差所凿。吴之振于此发思古之幽情，似乎想要对修建者的功过是非做一番新的评价。只是言语含蓄，不如皮日休《汴河怀古》中"尽道隋亡为此河，至今千里赖通波"那般惊世骇俗罢了。

数年后，即康熙十年（1671），吴之振又带着刚刊刻出来的《宋诗钞》开启了他的第二次北游，但这一次他不再细写来回路上的见闻，而是把笔墨更多地用在了与京城内诸多名公巨卿的交游唱和上，从而谱写了一段风雅绝代的诗坛佳话。

　　清康熙五十二年（1713），时值康熙皇帝六十岁寿辰，鉴于自己所取得的功绩，遂决定举办隆重的万寿庆典。当时从各地赶到京城为皇帝祝寿的六十五岁以上的老人多达数千人，他们此行最重要的一项活动就是参加在畅春园大宫门前举行的千叟宴。清朝历史上共举办过四次千叟宴，这是第一次。

　　在这数千名老人中就有被革职查办的石门县（今属桐乡）人劳之辨。康熙四十七年（1708）十月，劳之辨升任都察院左副都御史，两个月后即因上书保举废太子胤礽而触怒龙颜，交刑部鞭笞、罢官后被遣回原籍。时隔五年，他不仅得以体面地进京面圣，还官复原职，一雪前耻。人生快慰，不过如此。

监督通州中南仓和天津钞关

　　劳之辨（1639—1714），字书升，晚号介岩，杨瑄所作墓志铭称他"幼颖敏不凡，甫就外傅，即研思劬学。每试，辄冠曹耦"。他于康熙三年（1664）中进士，选庶吉士，第一份实职是康熙六年担任户部主事，一度监督通州中南仓；十一年又改监督天津钞关。此后历官户部员外郎、礼部仪制司郎中。十四年典江南乡试，旋升山东按察

布襪芒鞵道自尊清風堪嘯月堪
們世間阿食重裹客耶似灭家哎
菜根　村莊數麻路橫斜親課園
丁苡嫩草知乐連朝好雨後還應
料理及壺瓜　奉和
孟老姑夫原韻并正
姻眷姪劳之辨具艸

劳之辨《种菜诗》手迹

司佥事，提督学政。十九年，以才品选择，补授贵州粮驿道。二十三年，因参与平定三藩有功，又被擢升为广东广南韶道按察司副使。此后以京卿内擢，补通政司参议，历官左参议、左右通政、太常寺卿、大理寺卿、都察院左佥都御史、左副都御史等职。

在劳之辨担任的诸多官职中，有两个职务与京杭大运河息息相关：一是监督通州中南仓，二是被派往天津监督天津钞关。两处地点正好在北运河的两端，工作职责前者涉及漕运，后者事关运河税收和船只管理。

劳之辨以户部主事身份开始监督通州中南仓是在康熙九年（1670），任上"将历来粮船陋规尽行革除"（劳之辨《自序》）。一年后通过考核，又重回户部任职。

明清时各省漕粮通过京杭大运河运抵通州，于是在东门外形成了"万舟骈集"的景象，被列为"通州八景"之一。对此，史料有载："自潞河南至长店四十里，水势环曲，官船客舫，漕运舟航，骈集于此。弦唱相闻，最称繁盛。"（蒋一葵《长安客话·畿辅杂记》）

当时的通州不仅是漕运重镇，还是漕粮的仓储重地。随着漕运鼎盛时期的到来，通州粮仓多达上百座，通州中南仓即是用来储藏江南等地进京漕粮的仓库。同时，该处也是清朝重要的税关之一。此时劳之辨的官职虽不高，但事关国计民生，工作上由不得半点马虎。因是肥差，对他也是一种考验。事实证明，他面对诱惑既能恪尽职守，又做到了廉洁奉公，实属不易。

因史料缺失，关于劳之辨在通州中南仓任上的履职细节不得而知，但他任职期间发生的两件事却值得一说。

其一是康熙九年九月初六，"恭遇章皇后祔庙，覃恩赐表里各一，敕授户部江西清吏主事承德郎，室胡氏封安人，太仆公、沈淑人并封如例"（劳之辨《自序》）。"章皇后"是指康熙皇帝的生母孝康章皇后佟佳氏，"祔庙"是指祔祭后死者于先祖之庙，即祔祀于清廷的太庙。值此国家盛典，包括劳之辨在内的大小官员及其亲属都受到了封赠，其父劳俶融、母沈氏、妻胡氏均获得相应的爵位名号。劳之辨出于感恩，特作《章皇后祔庙礼成颁赐表里纪恩诗》予以歌颂。

其二是同年秋，康熙前往清孝陵祭祖，结束后经由潞河回京，劳之辨与当地大小官员前往迎驾。其《上谒孝陵礼竣还跸潞河迎驾恭纪》诗写道：

> 祖德垂谟烈，皇猷廓缵承。球刀瞻寝庙，霜露礼上陵。
> 凤辇慈闱驾，鸾舆圣子乘。翠微千嶂拱，王气五云蒸。
> 扈跸周偕召，宗盟薛长藤。六龙归燕喜，万骑从飞腾。
> 黄幄形双阙，乌椑象八棱。风寒严鼓角，星密簇悬灯。
> 猥以仓储役，惭惟趋走胜。御床窥羽衡，黼座想凝丞。
> 隆准天人表，光华日月升。鼎湖无复憾，绳武正恢弘。

潞河即北运河，是京杭大运河的七个分段之一，古称白河、沽水等。其干流北起通州北关闸，自北向南，最终于天津的三岔河口与南运河交汇。康熙前往孝陵祭祖，往返都要在潞河里行船，附近大小官员免不了迎来送往，劳之辨也厕身其间。

康熙十年（1671），劳之辨再次通过考核调回户部，鉴于他的能力和廉洁自守的品行，又于次年被派往天津监督钞关。关于这段履历，他在《自序》中自述道：

> 此关前后缺额，监督降革不等，且铜斤为累，有碍考核。余与同事满洲蔡君壁免，悉心筹画，倍价买铜，如限交纳，并设法鼓励征收，以敷正额。癸丑，考核回部。本年，升本部贵州司员外。

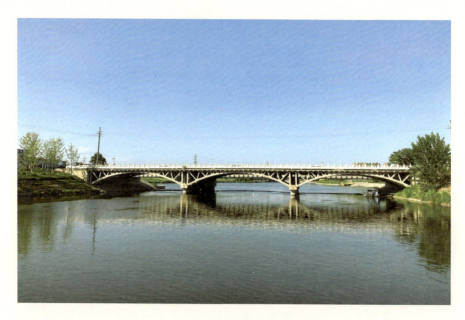

通州境内的通惠河 / 夏春锦摄

通惠河与北运河的转运枢纽葫芦湖 / 夏春锦摄

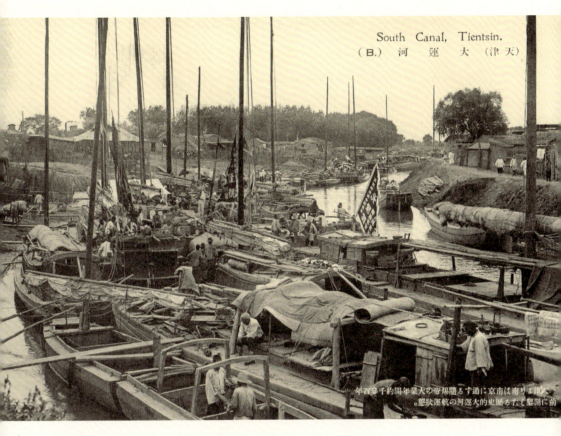

South Canal, Tientsin.
（B.） 大運河 （天津）

前に整ふ。大運河の歴史的南京に通ず。天帝の栄を賜る約千参百年南より北京に通ず。天帝の栄を賜る

天津境内的南运河旧影 / 朱绍平供图

天津钞关始设于康熙四年（1665），前身为明正统年间设立于今天津市武清区的河西务钞关。因当时天津建城不久，只是普通卫所，故河西务钞关的规模并不大。但随着地理位置优势的不断凸显，天津的商业贸易得到迅猛发展，再加上漕运业的兴盛，入清后天津渐成为北方的物资集散中心。为了适应形势需要，清政府便将钞关从河西务迁到了天津城北门外运河北岸，设立天津钞关。因新的钞关规模甚大，又坐落于城北，所以亦称"北大关"。

天津钞关的职权主要是征收税收和监放船只。税收项目"包括按出产地征收的正税、按物价征收的商税和按船只梁头大小征收的船料三项"①。其税口有十二个，即苑口、东安、三河、王摆、张湾、河西务、杨村、蒙蔡村、永清、独流、海下、杨家坨；稽查口有七个，即西沽、东沽、西马头、东马头、杨柳青、小直沽、三汊河。因牵涉面广，钱粮之事又烦琐，管事者不免要焦头烂额。

天津钞关的监督工作并不好做，劳之辨之前的几任或被降职或被革职，导致相关岗位缺额严重。究其原因，工作繁重和能否廉洁自律是主要因素，此外还有"铜斤为累"，不利考核，于是被视作畏途。

"铜斤"即用于铸造铜钱的铜材，清代每年要铸铜钱数十万串，需铜约四百万斤。这么多的铜，大部分由户部分派给下辖的税关负责采购，除了用于购买的费用，还要花费一笔"铜斤水脚"，即铜材的运输费。这项工作对于关差来说无疑是沉重的负担。

据《清实录》载，稍后的康熙十八年（1679），户部等衙门会商出"钱法十二条"，其中有半数涉及铜斤的采办：

---

① 吉鹏辉：《北大关的繁华旧影》，见天津市档案馆编《天津运河故事》，天津人民出版社2014年版，第50页。

二、因铜少以致钱贵，查盐课与关差一体，应将两淮、两浙、长芦、河东课银，俱交见出差御史、督各运司官，照部定价，买铜解送。

三、各关差官员，所办铜斤，应买废钱旧器皿等铜解送；或将红铜六十斤、铅四十斤，折作铜一百斤解送；不许解送毁化板块之铜。如此，则无毁钱之弊。

四、关差官员买铜，应慎选殷实老成人役买办。

五、宝泉、宝源二局，炉头匠役，包揽买交者，枷责，并妻子流上阳堡；官员徇庇者，革职。

六、各关官员，差满回部，所欠铜斤应严立限期，限内不完者，革职，所欠铜斤，变产追完。办铜人役，仍照前定例治罪。

七、查户部宝泉局，有满汉侍郎管理，今亦应令满汉侍郎亲身带领监督等，公同秤收发铸。

以上内容涉及采购铜斤的经费来源、数量、任人标准、惩处及管理等，可谓事无巨细。特别是第五、六两条事关经办人员的处罚措施，正对应了劳之辨所提到的"降革不等"之说。

尽管困难重重，劳之辨还是与满洲籍的同事蔡壁免悉心筹画，以加倍的价格想方设法采购铜斤，做到如期交纳。对于多花的钱，又设法填补差额，以确保原有税收的正额。从次年（康熙十二年，1673）劳之辨再次得以"考核回部"，并晋升为户部贵州司员外郎来看，他的工作业绩显然是受到上级充分肯定的。

值得一提的是，劳之辨在天津钞关任上，对北运河里的红剥船印象极深，专门作《红剥船行并序》诗道：

天津以北，水趋大海，故上流易淤，漕船有阻浅之患。为设红剥船以供转运，其来旧矣。船六百艘，出自通州、永清等六州县。其地旗民杂处，红剥独用民力。及起剥时，漕船又受红剥需索，似乎两困。然天下事有宜已而万不可已者，此类是也。岁壬子，劳子督榷斯土，目击情形，赋诗以告守土者，兼备采风云。

> 东南挽粟来京国，万廪千箱供玉食。
>
> 今岁官租隔岁装，弁丁远道疲筋力。
>
> 长年三老历风霜，衔尾严程无暂息。
>
> 行尽黄河与运河，河西套子行不得。
>
> 船沉沙淤不利牵，大船重运分小船。
>
> 官家有船号红剥，更番接济往来数。
>
> 按亩抽签奉有司，呼名点验由关榷。
>
> 昨夜青蘋吹绿波，顶凌船过春流浊。
>
> 帆桅篷缆一不齐，尔曹安得辞鞭扑。
>
> 船头长跪诸父老，只怨东皇开冻早。
>
> 今岁卖田来买船，明年田尽船谁保。
>
> 急公且济本年漕，使君何事督坚好。
>
> 我闻此语愬焉忧，官差民累无少休。
>
> 十家产破难辞役，数顷田荒仍驾舟。
>
> 嗷嗷眼盼南船抵，百计攫金还盗米。
>
> 少妇撑篙狃浪头，衰翁揆柁藏舱底。
>
> 世路风波小加大，大船俯首真无奈。
>
> 回思冬兑临江浒，悍弁骄丁猛于虎。
>
> 巧立因公贴白镪，诛求加耗防红腐。
>
> 莫言人事无循环，到此也歌行路难。
>
> 君不见，田家作苦胼胝裂，官粮未了私先竭。
>
> 军剥民兮船剥船，一丝一粒皆膏血。

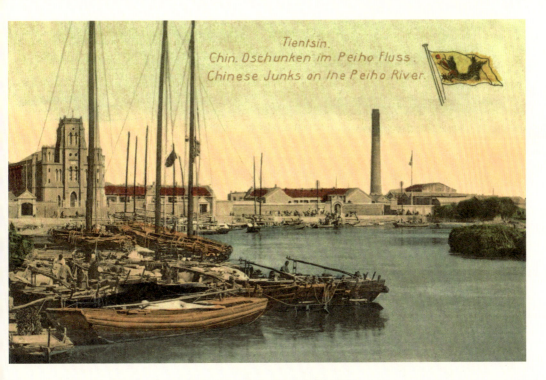

Tientsin.
Chin. Dschunken im Peiho Fluss.
Chinese Junks on the Peiho River.

天津境内的北运河旧影 / 朱绍平供图

所谓红剥船，即现在的驳船，是当时在通惠河和北运河上使用的一种小型漕船，因通州以下运河河道浅水处较多，"有阻浅之患"，须专门用此船分载转运大船上的漕粮和货物。对此，胡书农所辑《大元海运记》有明确记载："平江路一百八里，无锡州一百九十八里，常州路二百八十八里，内三仓系在城置立，河道浅狭，用小料河船逐旋般至城外，装入剥船。"

清初，朝廷设红剥船六百艘，每船给田四十顷，以收租赡船，免征科。除驳运漕米、铜铅、麦豆外，空闲时间也可载运商货和食盐，以增加收入。但是，正如劳之辨诗中所描述的，船家或因为将田产售出以添置新船，以致"今岁卖田来买船，明年田尽船谁保"；或因为田地荒芜，无租可收，以致"十家产破难辞役，数顷田荒仍驾舟"；再加上"按亩抽签奉有司，呼名点验由关榷"，还要招致关差的盘剥，红剥船船家的生存往往陷入困境。这就导致红剥船船家也要绞尽脑汁地到大船那里去敲竹杠、榨油水，劳诗"嗷嗷眼盼南船抵，百计攫金还盗米"，写得再直接不过了。

劳之辨体会到民生之多艰，于是发出了"军剥民兮船剥船，一丝一粒皆膏血"的喟叹。正如他在小序中所期望的，作此诗的目的是要"以告守土者兼备采风"，引起当政者对这个问题的注意，以便解民之所忧，纾民之所困。

皇天不负有心人，到了康熙三十八年（1699），时任直隶巡抚李光地也意识到这个问题的严重性。他出于稳定红剥船船家情绪以确保漕运通畅的目的，特就此事向康熙奏请，认为应仿照民田之例在遇灾时蠲免红剥船船家的赋税。此议最终得到了康熙的批准，从而使劳之辨当初的忧虑得到了一定程度上的解决。

经运河数次返乡

劳之辨自康熙三年（1664）首次赴京即考取进士开始，至康熙五十二年（1713）最后一次进京参加千叟宴得以官复原职为止，在这前后五十年的仕宦生涯中，曾多次往返于京杭大运河之上。现就主要的几次考述如下：

暂假省亲

最早的一次是康熙六年（1667），劳之辨刚补户部湖广司主事，在等候补缺之际，于当年秋"呈明吏部暂假省亲"。这是他出仕后的首次还乡。

劳之辨此行是跟着刑部右侍郎王清的舟车南还的。因康熙帝已于当年七月亲政，在昭告天下的同时，分派内秘书院学士等臣属告祭岳镇海渎诸神，王清负责前往绍兴祭告会稽山。劳之辨遂随队伍一起南归，有《海丰少司寇王公祭告南镇敬呈二首》诗记云：

> 圣主承乾抚万方，重臣衔命出岩廊[①]。
> 百神北拱怀柔远，八座南来典礼光。
> 宛委藏书探禹穴，刬山凿石陋秦皇。
> 右军旧有兰亭集，瘗玉公余一举觞。
>
> 拥传光辉自日边，长途欣共蓼花天。
> 三年侍立河汾席，两月追陪元礼船[②]。

---

① 原注：时上亲政，遣官祭告。
② 原注：余以暂假，追随归里。

梅市山川归眺望，鉴湖风物入诗篇。

还朝经过柴门路，敢迓轩车贲肆筵。

"少司寇王公"即王清，字素修、冰壶，号思斋，山东海丰人。他是顺治六年（1649）进士，选庶吉士，曾任国史馆总裁，后累官至刑部右侍郎，转吏部，著有《留余堂诗文集》。王清是康熙三年（1664）劳之辨参加会试时的副主考之一，号称得人，为士林敬重，所以劳之辨在诗中对其也是礼敬有加。第二首尾联"还朝经过柴门路，敢迓轩车贲肆筵"，看似客气话，实则是劳之辨对座师的真情相邀，也道出了石门县作为京杭大运河的要津，是王清一行回程的必经之地。

这次因时间上较为宽裕，他们便沿着大运河且游且行。此行路上虽只有三首诗留存，但据此基本可以知道劳之辨还乡的大体路线。

他们沿着大运河行舟至济宁时，曾在此停留，并慕名参观了太白楼、南池等名胜。有《济宁登太白楼》诗写道：

谪仙纵饮有高楼，此日停桡访旧游。

逸兴偶然斗酒寄，才名千古片云留。

檐前画舫通吴楚，槛外青山近鲁邹。

更羡四明狂客共，剡川一曲领风流。

太白楼位于山东济宁，因唐开元年间李白曾从湖北安陆移家至此（当时称任城），并在此购置酒楼，经常与贺知章等友人一起饮酒赋诗，后人遂建此楼以纪念。楼原在任城故城内，明洪武年间移至城南的旧城墙上。从"檐前画舫通吴楚，槛外青山近鲁邹"可知，城墙外即是贯通南北的大运河，诗人登高览胜，思接千载，岂能不为之逸兴遄飞。尾联中的"四明狂客"即指唐代诗人贺知章，这两句化自宋代

济宁太白楼 / 夏春锦摄

诗人杨万里的《寄题李与贤似刿庵》诗，其中有"四明狂客一茅屋，敕赐剡川才一曲"之句。

另一首《游南池》诗云：

> 南池旧迹托城隈，为问前人几溯洄。
> 洗马少陵成独赏，泛舟主簿许追陪。
> 千章古木余青霭，万劫残碑长绿苔。
> 我到晨朝刚白露，荒蒲苍荻映疏槐。

南池在济宁故城南门外，因诗人杜甫曾悠游于此，作有《同任城许主簿游南池》诗，后人遂在此地建祠纪念。南池与太白楼彼此相对，李白与杜甫两位大诗人在济宁留下的遗迹，无不令每一个途经此地的文人墨客为之向往。据尾联得知，劳之辨过济宁时正巧是白露节气那一天，"荒蒲苍荻映疏槐"，已颇能见出秋意了。

劳之辨此次回乡，行至大运河与黄河、淮河交汇处颇有些曲折，因这一年夏季雨水多于往年，黄、淮的水位一并上涨，沿岸堤坝决口处多达三十余处。史载："沿河州县悉受水患，清河冲没犹甚，三汊河以下水不没骭。黄河下流既阻，水势尽注洪泽湖，高邮水高几二丈，城门堵塞，乡民溺毙数万。"（《清史稿·河渠志一》）也就是说，淮河注入运河时，淮扬地区的州县洪水泛滥，沿运河南下北上的旅人就要随之改变路线。

劳之辨为此作诗《淮扬道中并序》以记其事：

> 丁未秋，淮、黄交涨，诸道口大决，凡舟自北而南者不由淮上，俱取道周家闸，入洪泽湖以达于高、宝。其自南而北者，亦如之。一望汪洋，尽成泽国，即目成咏，聊当绘图。

東南財賦區，江淮實淵藪。挽粟輸神京，貢琛會九有。

河伯效厥靈，恪如奉官守。如何神堯世，降割灾畎畝。

我來經茲土，不忍重回首。四望盡洪流，莫分培與塿。

鸛鶴失低巢，黿鼉窟高阜。狼籍紛魚蝦，顛連殃雞狗。

蕭蕭蘆荻花，其下惟井臼。茅屋或露興，稻垅多懸霤。

舟行改故道，蒲帆任風走。行旅但張目，長年亦袖手。

嗟此一方民，幾得耕千耦。筑塞興大役，愁夫復愁柳。

蠲賑荷皇恩，嚴綸戒箕斗。勖哉奉行者，人事思引咎。

据诗中小序描述，此时南来北往者大多提前取道山东聊城的周家闸（今属聊城市东昌府区凤凰办事处），经洪泽湖到达高邮和宝应一带。周家闸即周家店船闸，为古运河河道上重要的漕运设施，目前尚存（2006年被确定为第六批国家级文保单位）。高邮和宝应今属扬州市，劳之辨再由此经江南运河返回崇德，沿途已是故乡风物了。

便道省觐

康熙十四年（1675），劳之辨典试江南，任副主考，为国抢才，该科得中举人者达六十三人。劳之辨晚年回顾说：“历数甲榜之盛、显秩之多，未有过于是科者。”（劳之辨《自序》）终身为此得意。

因在外宦游太久，近乡情怯，内心的乡愁百转千回。在完成此次乡试工作后，劳之辨遂便道回乡省亲。他“昨别长干水，今经燕子矶”（劳之辨《燕子矶》），从南京先沿长江顺流而下，到镇江后船头一转，从江南运河的广阔航道奔赴家园。

他的游子意在《闱事告竣便道省觐述怀》一诗中表现得淋漓尽致：

天下离别多，无如宦游子。忆我象勺时，晨昏依怙恃。

弱冠厕贤书，通籍金闺里。屈指岁月徂，浮沉阅一纪。

邮书托鳞鸿，奉养虚甘旨。往岁改曹郎，需次曾旋里。

鲤对共潘舆，天伦乐无比。洎乎榷津门，严君远至止。

尚憾隔慈颜，北堂疏省视。今年秋八月，奉命衡多士。

主恩出意外，陨越引为耻。南国满才俊，狂澜亦须砥。

江水照臣心，臣心白于水。工歌鹿鸣三，卒爵事方已。

尤幸秣陵道，维桑近如咫。暂归谒寝门，百拜长跽起。

承欢余两袖，老亲为色喜。珍重嘱加餐，踟蹰及行李。

王程敢淹留，挂帆徒徙倚。

诗作中，劳之辨回顾了自己出仕以后与家人聚少离多的宦游经历，表达了忠孝两难全的无奈。难得此次典试江南，与故园近在咫尺，又有大运河水路交通之便，怎能不"暂归谒寝门"，回家去享受一番天伦之乐呢！在家停留的时间虽然不长，但足以慰藉漂泊日久的赤子之心。

顺道抵里

康熙二十四年（1685），劳之辨以广南韶道按察司副使的身份回京，改任通政司参议。他于四月二十日接到邸报，六月启程离开韶州府（今广东省韶关市），度大庾岭，经赣江十八滩，过南昌，泊鄱阳湖后，再从彭泽、芜湖、当涂到达南京。此行劳之辨一路吟咏，大好河山，尽入诗囊，留下三十余首诗。

到南京稍歇后，劳之辨于九月二十六日顺道返乡，因想起十年前恰巧也是这个月的这一天开船，遂作《九月二十六日从白下返里，忆乙卯闱事告竣，亦于是月日解维，刚十年矣》：

寺山金江鎮

Chin-Kiang Pagoda — Pagode Tschin-Kiang

金山寺旧影 / 朱绍平供图

挂楫蒲帆带水连，还家又是菊花天。

语溪归觐前三度①，钟阜重游此十年。

敢拟相如曾拥传，漫夸景倩似登仙。

浮沉未遂躬耕愿，早见丝丝入鬓边。

逝者如斯，不舍昼夜。看着船舷外的滔滔江水，往事分明在，不由得令人感叹年华之易老。"浮沉未遂躬耕愿，早见丝丝入鬓边"，也道出了官场的波谲云诡和诗人的身不由己。诗人的内心常是焦灼的，在理想与现实之间又是进退维谷的，在"躬耕愿"还无法实现的情况下，故乡始终是游子可以临时安放自我的港湾。

又过镇江转道，重游金山寺，心境已不同。《金山寺》诗曰：

蜡屐前年到，扁舟此暂停。山曾登绝顶，水欲汲中泠。

飞阁通霄汉，浮图俯列星。妙高台说法，真有老龙听。

随后舟过丹阳（今江苏省丹阳市），运河水势舒缓，乡音渐闻，遂有感而发，作《丹阳》诗：

孤舟离白下，归路近丹阳。已出江湖险，何愁云水长。

脊高遮稻垅，潮落见鱼梁。双桨船如箭，方言半故乡。

诗人的心情随着风物、方言的相近，以及运河水道的平坦开阔，而渐次明朗起来。或许是因为过于兴奋，以致船过毗陵（今江苏省常

---

① 原注：丁未、乙卯、己未返里者三。

州市）时竟夜不能寐，有诗《九月晦日毗陵舟中不寐杂感三首》为证。其一曰：

> 朝从丹阳发，夕向毗陵止。哀雁叫云中，远道何时已。
> 侧闻往来船，棹歌沸入耳。中有故乡人，或可话桑梓。
> 披衣先报书，零乱笔与纸。怅然感客怀，假寐还徙倚。

乡情愈发浓厚，后半首颇合"复恐匆匆说不尽，行人临发又开封"之意。

过无锡时无诗。到了苏州有《挽沈韩倬太史兼哭令子寅生》，是悼念沈世奕及其子沈寅生的。此外，《宝带桥》《吴江》两首，也都是在交代自己的运河行程。其中《宝带桥》诗云：

> 宝带为桥月印潭，天工人巧擅江南。
> 双狮孤塔从头数，的是桥门五十三。

宝带桥为江南名桥，始建于唐，位于今苏州市吴中区城南街道。桥横卧于大运河与澹台湖之间的玳玳河口，长三百余米，有桥孔五十三个，"天工人巧擅江南"，可谓名实相副。

随着离家的距离越来越近，劳之辨开始浮想联翩，满脑子都是家人家事。其《顺道将抵里门八首》中就写到"老父""慈母""弱弟"，乃至"友生""舅祖""家二叔""介声侄"等。正如第一首诗中所说："北阙诚宜恋，南坡亦有诗。区区乌鸟意，只觉一帆迟。"在仕途与天伦之乐间，劳之辨的内心始终是矛盾的。

劳之辨是当年十月初抵家的，自六月从广东出发，路上足足花了将近四个月时间。他晚年在《自序》中回忆道：

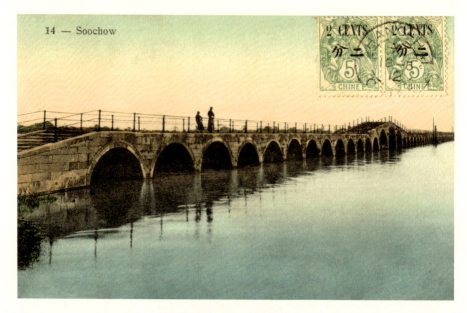

苏州宝带桥旧影（明信片正面）

苏州宝带桥旧影（明信片背面）／朱绍平供图

忆自丁未裁缺，乙卯典试，己未差满，返里者三，今复得聚顺一堂，捧觞上寿，话游子之行藏，娱双亲之色笑。连岁南征杨柳，望断云边；此时庾岭梅花，恩从天上。天伦乐事，至是凡四度云。

奔丧南还

在劳之辨的一生中，除了因宦海沉浮多次往还南北，他还不得不面对长辈的故去。按照礼法的规定，无论官职大小，都必须在家守制三年。

康熙二十六年（1687）五六月间，其母沈恭人去世，劳之辨八月闻讯，便收拾行囊，南还奔丧。走的还是大运河，有《南还途次杂咏十二首》：

挥手出燕台，春风绝点埃。西山迎去客，又逐马蹄来。

往返芦沟道，时常趁夕阳。恐教桥上月，照见鬓中霜。

郑州古赵地，一水此称奇。错认明妃里，空存扁鹊祠。

岱宗曾旧历，结我十年思。五月三经此，空题望岳诗。

郯子古南荒，摈诸列国外。一自问官来，千秋传倾盖。

漂母识淮阴，青史名照耀。堪笑重瞳者，失人于屠钓。

最怪淮南柳，年年剩旧柯。枝条斫伐尽，多为近黄河。

不载秦陲酒，嫌他味尚醲。中泠有泉水，直可洗心胸。

大江一苇渡，疑在画中行。岚色金山寺，人烟铁瓮城。

不识丹阳路，还看岸脊高。春潮平长处，一水没深篙。

地已非三国，城犹说吕蒙。暮潮流不尽，遗恨在江东。

望望毗陵驿，前津有戍楼。篷窗鸡唱入，风雨过奔牛。

从卢沟桥出京，劳之辨一路上写到的运河府县有郑州、泰安（东平县）、宿迁、淮安（淮阴）、镇江（丹阳）、常州（毗陵）等处。路上想起平时不能亲奉汤药于慈母的病床前，如今又未能见最后一面，诗人为此"洒泪七千余里路"（《将抵里门四首》），哀恸不能自已。

就在"扶服归来踏雪寒，母今恸哭甫摧肝"之际，又"忽惊凤辇升遐变"，孝庄皇太后于十二月宾天。次年（1688）正月，劳之辨"进京哭临"，礼毕后，"得旨回籍"，三月回到家中。

慈母已逝，老父在堂，于是"伏首苦块，侍太仆公膝前，或村或城，晨夕承欢，务期顺适老人之意而止"（《自序》）。

迎驾及其他

就在劳之辨丁忧居家的康熙二十八年（1689）春，康熙皇帝开启了他的第二次南巡。为了迎驾，二月初二日劳之辨随当时同样居家的工部尚书杜臻（字肇余，一字遇徐，嘉兴秀水县人）等五人，前往无锡接驾。康熙得知后特派侍卫加以慰问。劳之辨有《己巳二月二日锡山道中迎驾恭纪二首》诗记之：

> 鸾舆诹吉晓春行，二月江南正啭莺。
> 既做虞巡分庆让，更寻禹绩画平成。
> 龙舸似向云中度，凤管疑从天上鸣。
> 幸附群公趋伏谒，共邀温语一时荣。[①]

> 翠华一路罢离宫，爱驻溪山春雨中。
> 黄诏风行重免赋[②]，苍生雷动尽呼嵩。
> 只今丝粒官家庇，早念东南井邑穷。
> 最是西湖同望幸，高天无他不帡幪。

居家期间，劳之辨有过两次苏州之行，一次是应吴之振之邀同游虎丘，作诗《吴丈孟举招游虎阜用兰亭宴集韵二首》：

> 性癖多所负，山巅兼水滨。胜地不常历，清欢与谁陈。
> 感兹造物理，风月颇失均。放舟一登览，涉故皆成新。

> 文酒兴往复，夕阳下平林。生公一片石，远接群山岑。
> 素心惬幽赏，不在丝竹音。佳游烛当秉，百年总寸阴。

① 原注：是日，浙中杜大司空而下共五人蒙遣侍卫问诸臣好及越省来接路远之天语。
② 原注：江南已免去年正赋，新奉诏旨，积□尽蠲。

松老高桥 / 王健供图

从年龄看，劳之辨比吴之振还年长一岁，之所以称其为"吴丈"，是因为吴之振之妻劳氏是其家族中姑姑辈的亲戚。吴之振曾两次进京，通过劳之辨结识了不少名公巨卿。此次居乡，两人时相过从，自不待言。

苏州有不少劳之辨官场上的朋友，他曾随钱宫声游楞伽寺，随黄庭表再游虎丘，均有诗传世。从大运河返程时有诗《泊胥门》记录行程：

> 舟泊胥江口，风连震泽溪。素鳞烹缩项，紫蟹擘团脐。
> 岸叶枫先落，篱花菊已齐。城门宵柝静，时有老乌啼。

晚年的劳之辨对家乡事务颇为上心，据其《续年谱》所述，康熙五十年（1711）"九月，里民具重建松老桥，公呈于本县，余力任首倡"。

松老桥即松老高桥，为单孔石拱桥，南北走向，在石门县西南九里处的大运河之上。始建于宋，明弘治九年（1496）徐华重建，后又倾圮，由劳之辨出面首倡重建。《（光绪）石门县志》援引《青镂杂笔》云："浙西之水，发源天目，由塘栖东流入檇李，径邑境五里许，有桥跨其上，曰松老。相传昔有老人于此舣舟作渡，几五十年。所取渡值，铢积寸累，遂建此桥。后老人化为松，桥因以名。"

康熙五十一年（1712）三月，新建的松老桥竣工，有碑记其事。劳之辨又在《续年谱》中隆重地记下了一笔："盖余自为诸生时，早发此愿，今年逼桑榆，不便再缓，勉力完其功，果一生心事也。"

鲍廷博：黄金散尽为藏书

鲍廷博（1728—1814）是清代乾隆、嘉庆年间闻名遐迩的藏书家、刻书家和校勘学家。其祖籍安徽歙县，自祖父时起寓居杭州，后又移家至桐乡。家有藏书楼名知不足斋，因清廷修《四库全书》时跻身"天下献书之冠"而受到两代皇帝的礼遇。他精心刊刻的《知不足斋丛书》，亦因校订精审，风行海内，成为时人和后世纷纷效仿的典范之作。鲍廷博由此成为我国藏书史上的著名人物，知不足斋也成为天下读书人为之向往的琅嬛福地。

有研究者著文称，清代百分之八十以上的私家藏书楼都聚集于京杭大运河沿岸，不仅数量丰富，而且所藏之书始终是沿着运河流转。就鲍廷博而言，京杭大运河不仅为他提供了便利的水道交通，更加强了他与各方的联系，他借此得以自由地往来于南北，访书会友，互通有无，忙得不亦乐乎。

黄金散尽为藏书

鲍廷博出生于徽商之家。其祖父鲍贵不仅有儒士之风，雅好读书，对儿子鲍思诩更是寄予厚望。鲍思诩年轻时就以仕进为主，经商为辅，还利用经营所得，开始大量购藏图书。据吴长元所述，鲍廷博

知不足齋主人渌飲先生像

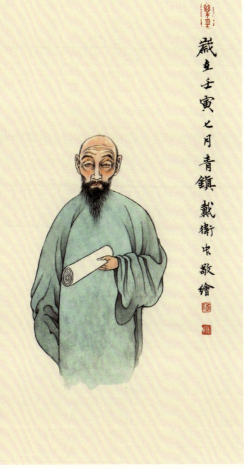

歲在壬寅七月青鎮戴衛忠敬繪

鮑廷博像 / 戴卫中绘

"先世藏两宋遗集多至三百余家"（吴长元《斜川集跋》）。这种"贾而好儒"的家风对鲍廷博仁人爱物情怀的养成起到了潜移默化的作用。

鲍廷博在顺利取得诸生的身份后，又先后两次以商籍身份参加浙江的乡试，但均名落孙山。几代人的科场失利让他对仕途心灰意冷，从此绝意仕进，转而以藏书为毕生志业，最终得以跻身于著名藏书家之列。

黄宗羲曾说："藏书非好之与有力者不能。"对于鲍廷博来说亦是如此，他一生嗜书如命，不惜重金求购珍本、善本，到了晚年更是因此而倾尽家财，沦落到鬻书度残年的境地。鲍廷博生前有一枚印文为"黄金散尽为藏书"的藏书印，正是他一生为书的写照。

鲍廷博早在二十岁之前就已经开始大量购书。据乾隆四十一年（1776）朱文藻所作《知不足斋丛书序》记载：

> 盖嗜书累叶如君家者，可谓难矣。三十年来，近自嘉禾、吴兴，远而大江南北，客有异书来售武林者，必先过君之门，或远不可致，则邮书求之……

乾隆四十一年，鲍廷博虚龄四十九岁，往前推三十年，即是二十岁不到的年纪。这一说法与翁广平所说"二十三岁补歙县庠生，两应省试不售，遂绝意进取，竭力购求典籍"（翁广平《鲍渌饮传》）的时间大体吻合。正是因为有了前期的积累与经验，他在科场失意后才会变本加厉地投入，这份决心和魄力显然是在告知世人，自己将以藏书为毕生志业了。

朱文藻的话中揭示了一个重要史实，即鲍廷博一生的活动范围并不广，除了回过徽州，晚年到过北京，其足迹主要集中于运河沿线的杭州、嘉兴和苏州等江南地区。这些地方是鲍廷博开展购书活动的核心区域。

"嘉禾"即嘉兴，"吴兴"即湖州一带，"大江南北"虽是一个比较宽泛的地理概念，但其核心地域则包含大运河流经的南京、苏州、常州、无锡等地。入清后，特别是康乾时期，这片地域的农业、手工业生产和商业得到进一步发展，文化教育事业也随之迎来了前所未有的繁荣。其中刻书、藏书等文化活动异常活跃，均达到了封建时代最鼎盛的时期。

对于鲍廷博来说，购书的首选之地就是这一带的书贾所开设和经营的书肆、书船，那里品种繁多，选择性大。此外，他还通过与藏书家朋友之间的互通有无和海外求书，弥补了书商图书品种"多而滥"的不足，使得个人藏书中善本珍本的数量远在他家之上。

苏州自古繁华，是除了杭州之外鲍廷博去得最多的城市。这源于有清一代，苏州一直是书业最为繁荣的地区之一，用叶德辉的话说是"书肆之盛，比于京师"（《吴门书坊之盛衰》），其数量之多，足以与当时的京城相媲美。笔者据江澄波《苏州古旧书业简史》一文统计，清代苏州旧书坊和书肆的数量多达82家，其中就包括扫叶山房、红叶山房、五柳居、萃古斋等闻名遐迩的老店。

鲍廷博经常到苏州购书，就是因为这里书肆多，可供选择的好书也多。乾隆五十四年（1789）十二月二十七日，他在姑苏城外的紫阳居书肆购得毛氏汲古阁所刻《中吴纪闻》六卷。此书系宋代苏州文人龚明之所著的笔记小说，以记录吴中地区的奇闻轶事和风土民情为主要内容。因多是作者耳闻目睹之事，所以尤为生动而翔实可信，历来受到读书人的喜爱。值得一提的是，书中还收录了唐代诗人张继的名作《枫桥夜泊》，第二句有别于他处，作"江村渔火对愁眠"，被认为厘清了该诗的原委。为此晚清大儒俞樾赞叹道："幸有《中吴纪闻》在，千金一字是江村。"足见此书的文献价值。鲍廷博得书后，生前将其作为善本进献四库馆，身后又被儿子鲍士恭刻入《知不足斋丛书》第三十集，得以流布士林。

更早时候的乾隆三十四年（1769），鲍廷博行舟路过常熟虞山，顺便于某书肆购得一部明成化刻本《滦京杂咏》，这是相当罕见的元代诗人杨允孚的诗集。他在题跋中说是"阻风虞山，阅市购此"。鲍廷博十分看重此书，后来和其他善本一起进呈四库馆，被收入《四库全书》中。此跋则作于嘉庆十年（1805），鲍廷博正要将其刻入《知不足斋丛书》第二十三集中。要知道，鲍廷博的购藏、献书与刻书对于此书的命运关系极大，他不仅恢复了原书的本来面目，而且随着成化本的散佚，鲍氏所藏竟然成为该书唯一的存世版本。

湖州作为著名的藏书和刻书之乡，也是鲍廷博时常到访的地方。乾隆三十六年（1771），他从湖州书贾手上购得一套三十二卷的黄虞稷著《千顷堂书目》旧抄本。此书原系同时代的藏书家杭世骏道古堂藏书，后被鲍廷博转让给了好友吴骞。据吴骞的题跋可知，此书原来是他嘱咐鲍廷博代为寻觅的，受人之托，忠人之事，鲍氏历经数年"始从苕估购得"。

吴骞所说的"苕估"又称"苕贾""苕上书估"，是对当时十分活跃又独具特色的湖州书贾的泛称。因湖州有东西苕溪，遂以地籍冠名。湖州书贾最大的特点是常以船贩书，世称"湖州书船"，他们借助四通八达的水网河道，特别是便利的运河水道，浮家泛宅，往来于江浙之间，所到之处，常常受到士大夫的礼遇，故而被称作"书客"和"书友"。

鲍廷博还从湖州书贾手上购得极为珍贵的宋版《金石录》。据清何琪撰《唐栖志略》载：

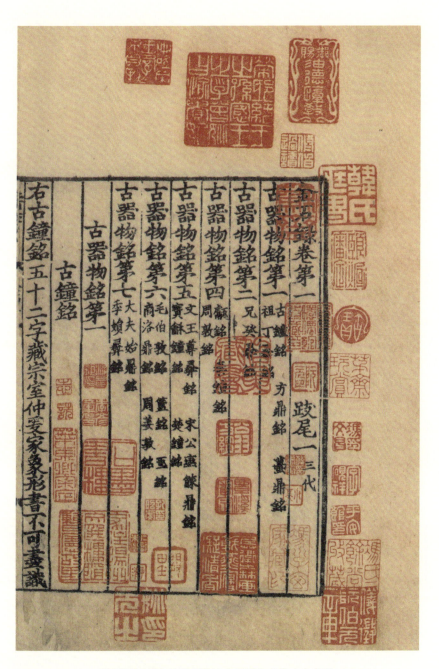

右古鐘銘五十二字藏宗室仲爰家象形書不可盡識

古鐘銘

古器物銘第一

古器物銘第七　大夫始鼎銘

古器物銘第六　商洛鼎銘　周美敦銘

古器物銘第五　寶龢鐘銘　敦鐘銘

古器物銘第四　周敦銘

古器物銘第三　王尊彝鼎銘　宋公盛餗鼎銘

古器物銘第二　兄癸卣銘

古器物銘第一　古鐘銘　方鼎銘　畫鼎銘

金石錄卷第一

跋尾一　三代

鮑廷博舊藏宋淳熙刻本《金石録》十卷内文書影
（現藏于上海圖書館）

冯文昌砚祥，号吴越野民，嘉兴人。司成开之孙也。次子褒仲，赘于栖里沈氏，遂徙家依之。晚年复居河渚，以守司成之墓。著有《吴越野民集》。砚祥既工诗，兼好古书画，有宋刻《金石录》十卷，极宝爱之。手跋其后，又为刻印，文曰"金石录十卷人家"。其书仅四册，吾友鲍以文以十金购于湖州书贾。卷尾有朱文石跋、李易安《金石录后序》，其侍儿书也。笔亦秀整有致，惜冯跋不知何人割去，为可恨耳。是书以文癖寐有年，一旦得之，此欧阳氏所谓"物聚于所好也"。

　　《金石录》三十卷是宋代赵明诚、李清照夫妇的心血之作，被后世奉为我国最早的金石学专著之一。宋版《金石录》更是稀世珍品，这一部仅为十卷，系北宋淳熙刻本，原为嘉兴冯文昌所藏。冯文昌乃收藏家冯梦桢之孙，因次子冯褒仲入赘运河古镇唐栖（即今杭州塘栖）沈氏，全家便跟着迁居至唐栖。冯文昌对这部宋刻《金石录》极为宝爱，还特意刻了一枚"金石录十卷人家"的印章。此书后来流落江湖，辗转于阮元、潘祖荫等众多藏书家之手。今则藏于上海图书馆，为镇馆之宝。

　　鲍廷博也有与湖州书贾交易未成的时候。嘉庆四年（1799）冬，湖州书贾吴步云从海盐张晋乔侄孙手上购得金刻本《中州集》。先是送到鲍廷博处，鲍许以十二金，吴却还要加价，以致未能成交。吴后来转投黄丕烈，为其所购。话说鲍廷博当天冒着大雪从乌镇泛舟赶往杭州，夜半竟遭遇大风，几乎翻船殒命，遂感人生无常，心中渐生悲凉之感。尽管如此，他心中仍挂念好书，不忘嘱咐吴步云"毋使诸失所"，真待书如待人也。

藏家之间互通有无

在鲍廷博的青年时代，借抄是仅次于购买的聚书方式。其老友朱文藻曾记录下一份与鲍氏互为借录的藏书家名单：

> 浙东西藏书家，若赵氏小山堂、卢氏抱经堂、汪氏振绮堂、吴氏瓶花斋、孙氏寿松堂、郁氏东啸轩、吴氏拜经楼、郑氏二老阁、金氏桐华馆，参合有无，互为借钞。至先哲后人家藏手泽，亦多假录。一编在手，废寝忘食，丹铅无已时。一字之疑、一行之缺，必博征以证之，广询以求之。有得则狂喜，如获珍贝；不得，虽积思累月不休。溪山薄游，常携简策自随。年几五旬，精明不惫，勤勤恳恳，若将终身。（朱文藻《知不足斋丛书序》）

由此可知，鲍廷博借抄的对象主要是两类人：一类是"先哲后人"，从他们手上可以抄得第一手的"家藏手泽"；另一类就是同时代的藏书家，以抄录善本、珍本为主，因彼此志同道合，惺惺相惜，多数还成了莫逆之交。

朱文藻提到的总共九家，位于杭州的有六家，分别为郁氏东啸轩、汪氏振绮堂、吴氏瓶花斋、赵氏小山堂、卢氏抱经堂、孙氏寿松堂；位于嘉兴的有两家，即海宁的吴氏拜经楼和桐乡的金氏桐华馆；位于宁波的仅一家，即慈溪的郑氏二老阁。从地域分布来看，这些藏书家主要集中于浙江省内，且都是江南运河和浙东运河流经的城市，数量以杭州第一，嘉兴次之，宁波再次之。但朱文藻罗列的并非全部，像杭州城内厉鹗的樊榭山房、汪启淑的飞鸿堂，桐乡金氏的文瑞楼，还有位于苏州的不少藏书家都没有被提及，加上这些才共同组成

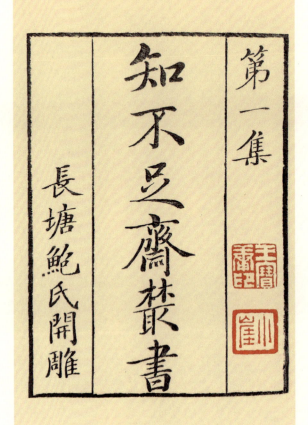

《知不足斋丛书》第一集卷首

了鲍廷博借阅传抄的超强阵容。

目前可知，鲍廷博最早抄书的时间不晚于乾隆二十年（1755），时年二十八岁。在这一年当中，鲍廷博先后抄录过四部书，其中孙承泽的《庚子销夏记》八卷明确交代是"偶于吴下钞得之"，因此书内容精审，得之不易，"窃有贫儿暴富之喜"。

在鲍廷博所抄录的书籍中，质量最高、品种最理想的主要来自他运河边上的朋友圈。与此同时，那些生活在运河沿岸的好友如海宁吴骞、仁和朱文藻、嘉兴戴光曾等也从知不足斋借抄和受赠了不少好书。

运河边上的藏书家之间除了彼此借抄，还可以通过相互转让，以购买的方式从其他藏书楼获得心仪之书。这类书往往最对藏书家的胃口，有些甚至是自己朝思暮想而不可得者。

早年，鲍廷博就从钱塘藏书家吴允嘉（1657—？）构建的四古堂购得五代时和凝、和峤父子合著的《疑狱集》三卷。吴允嘉嗜学好古，以藏书自娱，生前曾作《示儿》诗，以警示后人："几卷残书几亩田，祖宗相守已多年。后人穷死休相弃，免使而翁恨九泉。"奈何在其身后藏书仍不免落入他人之手，特别是杭州当地的藏书家从其后人手中购得不少好书，其中尤以汪氏振绮堂所得手抄本最多。

鲍廷博虽然是在年过半百之后才正式迁居桐乡的，但在此之前他已与桐乡本地的藏书家多有来往。目前可知最早的一次是乾隆二十七年（1762）冬，他偕吴长元专程寻访桐乡境内运河边上的甑山钱氏，向其借书以观。除了借书，鲍廷博还与桐乡的藏书家广泛交往，从他们处购得不少珍本，其中就包括已经迁居苏州桃花坞的金氏文瑞楼，鲍廷博曾从该楼购得宋朱翌所著《猗觉寮杂记》抄本。

文瑞楼为藏书家金檀创建。金檀（约1660—1730）祖籍徽州休宁，祖父金秉公游浙江时因钟爱桐乡风土，遂迁居于此。文瑞楼藏书十分丰富，在当时的桐乡一地可谓首屈一指。这主要得益于金檀的用心营构，清《（嘉庆）嘉兴府志》为此赞誉他"经史图籍靡不遍览，好聚书，遇善本，虽重价不吝，或假归手钞。积数十年，收藏之富，甲于一邑"。金檀有兄名金樟，是康熙三十九年（1700）的进士，亦雅好藏书。到了他们的后代，侄子金弘勋和孙子金可垛均能以书香传家，固守家业。仍居住在桐乡的从孙金德舆及金德舆之侄金锡鬯，也都热衷于收藏，两人都是鲍廷博的莫逆之交。

此外，鲍廷博还有过多次向其他苏州藏书家购书的经历。乾隆三十年（1765）八月初二，从木渎璜川书屋购得元代郑元祐所著《侨吴集》明弘治刻本。璜川书屋创始人吴铨，祖籍徽州休宁，早年随父定居松江，后又移居苏州吴县，雍正中官至江西吉安府知府。吴铨归田后长居木渎，筑遂初园，建璜川书屋，因珍藏有大量乡间文献和宋元善本而名重江南。

鲍廷博还曾以高价向吴江沈氏购得宋钱文子著《补汉兵志》抄本一卷。此书曾为朱彝尊所藏，朱氏评价颇高，说："言近而旨远，辞约而义该，此非高谈性命之学者所能括也。"（江澄波《古刻名抄经眼录》）朱氏过世后，书流入吴江沈氏之手，后又为鲍廷博所得，其跋中说"反复班、范二书，详加雠比，正讹补阙，颇于陈注有小补焉，镂梓家塾，再广其传"（鲍廷博《补汉兵志跋》）。因内容珍贵，鲍廷博后来将其刻入《知不足斋丛书》第五集，以广流传。

寓居冶塘

鲍廷博与运河更亲密的接触是在定居桐乡之后。他从杭州移居桐乡的时间，多数人根据赵学敏所作《〈知不足斋丛书〉序》中的夹注"于甲辰岁移家檇李"，确定为乾隆四十九年（1784）。但笔者新发

鲍廷博书七言联（现藏南京博物院）

现两种与此完全不同的说法，据此可知鲍廷博在更早的时候就已经在桐乡境内运河边的冶塘一带寓居。

一种说法出自清嘉道年间担任桐乡教谕的杭州仁和（今杭州临平）人宋咸熙所辑的《桐溪诗述》。据书中的鲍廷博小传称，鲍氏"寓居青镇之杨树滨垂四十年"。按鲍廷博卒于嘉庆十九年（1814）推算，则鲍氏移居桐乡乌镇杨树浜（即杨树滨，又称杨树湾）的时间约在乾隆四十年（1775）前后。这个时间比"甲辰岁"早了八九年。

宋咸熙与鲍廷博是往来甚密的忘年之交，其《桐溪诗述》就是在鲍廷博和顾修的鼓励下才着手编撰的。而且早在嘉庆三年（1798），鲍廷博就将宋咸熙之父宋大樽的《茗香诗论》刻入《知不足斋丛书》第二十集，所以此说应该是比较可信的。

另一种说法出自嘉庆十七年（1812）鲍廷博为《青溪严氏家谱》（清光绪十八年刻本）所作的序言，鲍氏自云"予乔寓兹十一有年"。按落款时间"嘉庆十七年"推算，则鲍氏寓居乌镇的时间应当为嘉庆七年（1802）。这一说法虽由鲍廷博自述，但笔者对此持有不同看法。现已有多种可靠的史料表明，鲍廷博早在乾隆五十年（1785）前后就已寓居桐乡。比如乾隆四十九年（1784）夏，吴骞乘舟从海宁小桐溪往乌青镇访鲍廷博，留下诗作《夏夕，从小桐溪泛舟径碌石至乌青访渌饮道中即事二首》；乾隆五十年三月，吴骞又作有《小寒食同兰垞乌青泛舟即事三首》，皆为明证。

那么，《青溪严氏家谱》序中提及的"予乔寓兹十一有年"，就存在两种可能：一是家谱刊刻时出现了脱字，二是鲍廷博所说的"兹"特指乌镇杨树浜。而后一种的可能性更大。

《桐溪诗述》卷十三中收录陈沄所作的《冶塘棹歌》四十首，其中有一首直接写到了鲍廷博，诗云：

水阁松亭分外清，客舟到处酒旗迎。

醉中渌饮题佳句，占断溪山风月情。

诗后有注："水阁，浜名；松亭，村名。新安鲍以文号渌饮，曾寓冶塘，《咏酒旗》云：'招邀风月归花县，点染溪山入画屏。'"由此可知，鲍廷博在定居乌镇杨树浜之前，曾寓居在离杨树浜不远的冶塘这个地方。

《冶塘棹歌》又称《柞溪棹歌》，在宋咸熙《桐溪诗述》所引第一首诗的尾注中解释道："柞溪居民冶釜为业，故名冶塘，又名炉溪。"可知在这一带，柞溪和冶塘是可以相互通称的。此地如今位于桐乡市区东北面的京杭大运河支流金牛塘的两侧，水运交通便利。昔时当地遍长柞树，故名柞溪。明朝时有沈氏自吴兴竹墩村迁居至此，开设冶坊，后产业壮大，"除在近地设店销售外，还在松江、嘉善、平湖、嘉兴、硖石、湖州等地各大杂货店挂牌经营沈氏冶坊铁器。其时镇之两端，炉火熊熊，昼夜不绝。地名亦因之渐称炉头"（马新正主编《桐乡县志》）。清时，此地分属清风乡和永新乡，鲍氏家族"以冶坊为世业"，早年因生意上的联系，或许早就到过此地。民国间，此地为皂林乡、杨园乡；新中国成立后属炉头人民公社，1983年改炉头乡，1985年改乡为镇，后又设为龙翔街道，今已划归乌镇镇管辖。

那么，鲍廷博是从何时起寓居冶塘的呢？

据傅增湘说，鲍廷博曾手抄《建炎以来朝野杂记甲集》二十卷，该书"每卷后有惇典堂、芦浦寓庐、知不足斋、绣溪寓舍等志，均在乾隆丙戌、丁亥间（三十一至三十二年，1766—1767），皆渌钦（饮）笔也"。这是目前可知的鲍廷博最早以"绣溪寓舍"落款的题跋。此后数年间，该落款出现的次数更多，以乾隆三十四年至三十六年（1769—1771）为例：

乾隆三十四年（1769）五月，借振绮堂所藏元林景熙《霁山先生集》五卷。据张扬云："此文四卷，始校于乾隆己丑五月二十日，至二十三日始毕，日尽一卷，有'绣溪寓庐记'二行。"

同年七月，传抄并校正振绮堂本宋刘安上《刘给事文集》五卷《附录》一卷，鲍廷博连续作有题跋，其中有"乾隆己丑十二月朔，绣溪寓舍"（卷一末），"己丑十二月朔，午后校于绣溪寓舍"（卷二末），"己丑十二月初二日，晨起校于绣溪寓舍"（卷三末），"乾隆己丑十二月巳刻，校于绣溪寓舍"（卷四末），"乾隆己丑十二月初二日，校于绣溪寓舍，巳刻毕"（卷五末）。

又同年十二月，抄校宋孙复《孙明复小集》一卷《附录》一卷："乾隆己丑十二月初五日，校于绣溪寓庐。"（见诗后）

乾隆三十五年，仅见一处提及，即十一月二十七日"补录"清叶奕苞稿本《金石录补》跋文"于绣溪旅舍"。

乾隆三十六年七月至乾隆三十七年五月，在鲍廷博校读的宋徐梦莘《三朝北盟会编》上，留下了数十处题识，其中有"绣溪"字样的达十四处之多。

从以上鲍氏的落款可知，在乾隆三十一至三十二年之间，鲍廷博经常性地居住在"绣溪"寓所，其中乾隆三十四年十二月初，还一连住了五天。

关于"绣溪"的具体位置，《桐溪诗述》也有提示。该书卷十五收录方驾所作《桐川四时棹歌》四十首，其一云：

> 黄花开遍秀溪湾，森森凉波浸白鹇。
> 佳节又逢重九日，沈壶携酒上东山。

诗后有尾注："秀溪在县西北。"笔者查考相关地方志得知，秀溪又作绣溪，是金牛塘的别称，其区域与上文所说的冶塘大体重叠。明永乐十三年（1415），溪上建有绣溪桥，几经兴废，至今沿用此名的是一座大型钢筋混凝土桥梁，名作秀溪桥。据民国二十五年（1936）重修《乌青镇志》记载，"秀溪桥，又名三里桥，在皂林塘口。"因是明朝抗倭将领宗礼的殉难处，故明末清初名士周拱辰尝作《绣溪桥吊宗将军赋并序》，稍后的汪绍昌又作有《绣溪桥吊宗将军诗》。

值得注意的是，鲍廷博寓居冶塘绣溪寓舍期间，不仅勤于校书，还与周边的书友交往甚密。如乾隆三十七年（1772）五月初十，"桐乡方兰如（薰）、金云章（德舆）二君过寓，观唐摹《十七帖》，并借去文丞相（天祥）遗墨一卷以去"；"十二日……大雨，欲往桐乡回（访）方（薰）、金（德舆）二君不果"（鲍廷博《三朝北盟会编》题识）。

乾隆三十九年二月十五日，鲍廷博冒雨前往海宁送别即将去徽州休宁的吴骞。吴骞说"渌饮自绣溪至，即移舟来送"（吴骞《可怀录》），可知那时鲍廷博也是住在冶塘的。吴骞有感于好友的真情厚意，还作了一首《雨渡钱江却渌饮》诗，以记其事。

如上所述，鲍廷博在定居桐乡乌镇杨树浜之前，于乾隆三十一至三十二年（1766—1767）之间就已经在桐乡县城西北京杭大运河边的冶塘一带暂住。鲍氏在冶塘不仅拥有自己的住所"绣溪寓庐"，还在此贮藏了一定数量的图书。

南来北往赖通波

鲍廷博定居乌镇后，依托京杭大运河时常往返于以桐乡为中心的苏州、杭州之间，会友访书愈加频繁。

当时他走得最多的是京杭大运河的南段，即江南运河。该线自长江南岸镇江的谏壁口经常州、无锡、苏州、嘉兴至杭州，最终汇入钱塘江。

乾隆五十二年（1787）春，鲍廷博偕吴骞、吴翌凤泛舟吴江，拜访好友杨复吉，在杨府巧遇同时到访的王鸣盛，于是得以诗酒为乐。吴骞有诗纪事，云：

> 蹑屐下姑苏，扬帆径石湖。为怜扬子宅，可钓季鹰鲈。
> 屏拓峰千叠，楼高酒百壶。此中容啸傲，身世一菰芦。
>
> 远塔垂虹外，孤城钓雪边。碧萝三径雨，芳树五湖烟。
> 客至巾初垫，春移景未迁。三高祠下水，相与定忘年。

在交通不便的古代，身居异地的朋友见面的机会并不多，但有限的次数反而使彼此的友谊更加牢固。

因为船行较慢，鲍廷博经常是携带书籍出行的，于舟中校书成为他的一个习惯。据一些书上的题跋可知，他曾于乾隆五十三年十二月二十七日"舣舟吴江"，同日又校宋刻本《云庄四六余话》"于平望舟次"。嘉庆九年（1804）岁末，鲍廷博又一次前往苏州，在舟中校阅明末汲古阁刻本《剑南诗稿》，该书卷十六末有题识道：

> 甲子十一月十一日，次万年桥阅。薄暮过五龙桥，乘月渡太湖，水天一色，风平无波，天下绝景也，惜无放翁妙笔作一诗咏之。是日得吴枚庵兄手抄《游志续编》，又得《马石田集》四册，快正。泊吴江南门外，读《游志》，烛尽始睡去。

万年桥坐落于苏州胥门外的护城河上。五龙桥则是苏州城南太

30　　Wu Lung Bridge, Soochow.　　橋龍五　外城州蘇

苏州城外五龙桥旧影 / 朱绍平供图

湖水的进入口，其南面即京杭大运河。题识中留下的这些地名和桥名，记录着鲍廷博的运河行程，成为研究藏书家与运河关系的第一手史料。

移居桐乡后，鲍廷博依然不顾年老体衰，时常光顾杭州的书肆，泛舟沿运河出行，一个来回就要花费数天时间。八十四岁那年（嘉庆十六年，1811）的八月九日，他从桐乡赶到杭州城内的积书堂，购得宋宗室赵与容所著《辛巳泣蕲录》手抄本一卷。回家后于题跋中记道：

> 八月十二日阅于菜市桥舟次。十四日舟过谢村，校雠粗毕，与二孙正字舟中看月，至新墅始就睡。十五日午刻抵家记。（陆心源《皕宋楼藏书志》卷二十四）

跋文中写到的"新墅"即德清新市，他们乘船从杭州拱宸桥附近的北关出发，走谢村、十二里漾、塘栖、新市、含山、练市，再到乌镇。其中杭州北关到塘栖这一段，就是明清的漕运河。到塘栖后，之所以不走崇德县方向，是因为从新市方向由烂溪回乌镇，路程相对更近。这条水路在鲍廷博的题跋中多有记载，可见是他往返于杭州和桐乡之间的首选路线。

从塘栖经大麻、崇德到桐乡的是下塘河，虽然路程相对较远，但鲍廷博也并非从来不走，毕竟经过清初的疏浚，这条水道更加宽阔和安全。如嘉庆四年（1799）十一月二十九日，他于行舟中校毕旧抄本《艮斋诗集》，题识中明确记载是在"舟次大麻"时完成的，显然走的就是这段运河水路。

在邮政不发达的古代，京杭大运河也为鲍廷博与外地师友在书信往来和邮寄书籍上提供了方便，其中最典型的莫过于鲍廷博与黄易之间的鸿雁来往。

乾隆四十三年（1778）闰六月，鲍廷博给已在济宁河东河道任职的黄易回函，信文如下：

春间接读手书，欣悉九哥先生已拜简发河东之命，为之快慰。嵇懒性成，尚稽裁贺，荷蒙眷注，再辱瑶华，亦自愧其疏狂也。

所需书籍，谨附纪纲呈上，惟《南宋小集》因年来校刻丛书，近复恭刊武英殿聚珍版各种，一时不遑兼及，尚未有以报命也。

小儿去秋本以藏拙不就院试，学使王公误以引嫌见许，代为纳粟入监，期望甚深，弟恐朽木粪墙不堪雕饰，惧深负此知遇耳。屡承垂询，实切惶愧。

近得杨忠愍公在狱中为应养虚先生所书巨册，历经名贤题识，希世之宝，颇自珍袭，此则亟欲为知己告耳。

承惠洋画，得未曾有，欣谢之怀，匪言可喻。巨册之寄，引领望之。莲岩、长青二君每见必动问起居，至去岁寄画及书，曾未谈及，晤时当亟询之。使旋拜覆，谨候升祺。不尽。小松九哥大人，教小弟鲍廷博顿首。闰月廿九日。

外书四件，单一纸。

寄上：
《丛书》三集三部，第四集现已刊竣，俟印成附便续寄。
重刻聚珍版书第一单三部，此书共计三十九种，约有十四函，现在刊竣者已得二十四种，俟刷印进呈后即当续寄。
《蛮书》四本，此系少宰王惺园先生委刻者，共有十种，尚未刊竣。
《汪水云集》一部，旧刻。
《林和靖集》二部，新购版。

一使旌拜覆謹候

陸祺不盡

小松九哥大人

外書四件采一紙

教小弟鮑廷博頓首

閏月廿九日

知已嘗耳　新惠諸書皆有所欲言忄忄正正

列領望之　葦菴長青二君每見必動問

起居至去歲寄畫及書魯未談及晤時當延詢之

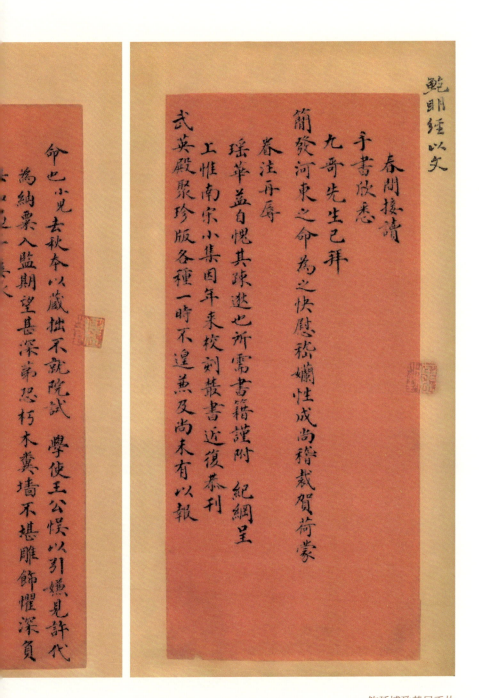

鮑明經以文

春間接讀
　手書欣悉
　九哥先生已拜
簡發河東之命為之快慰稱嫄性成尚稽裁賀荷蒙
　眷注丕辱
　瑤華益自愧其疎逖也所需書籍謹附　紀綱呈
　上惟南宋小集因年來校刻蕆書近復恭刊
　武英殿聚珍版各種一時不遑薰及尚未有以報

命也小兒去秋本以藏拙不就院試　學使王公慷以引嫄見許代
為納粟入監期望甚深弟恐朽木糞墻不堪雕飾懼深負

鮑廷博致黃易手札

以上俱舍下藏版，切勿寄价外我也。

《十六国春秋》一部，价一两六钱。

《隶释》一部，价三两二钱。

《隶续》尚未刻竣，在冬间寄上。

黄易是前一年（乾隆四十二年，1777）的八九月间，遵川运例捐从九品后被拣发河东河道任职的。他于次年即乾隆四十三年初到任，不久就有书信致鲍廷博，告知工作调动的同时，还向其购书。

鲍廷博的回函，在一番客套后，开始交代寄书情况：只是《南宋小集》尚未刻竣，因年来忙于校刻《知不足斋丛书》和武英殿聚珍版，一时难以顾及。另赠书五种，交代不必付费，以免见外。最后预告了即将面世的三种书。此外，函中还回复了黄易对自己小儿子的关切，分享了获得杨继盛手泽的喜悦，对黄易要寄赠洋画一事表达了期待。

函中申明这些书和信是"附纪纲呈上"的，即托他人带去，这是古代私人邮件的主要寄递方式。济宁作为运河名城，是山东运河道的驻地，远方的邮件往来大都通过运河的船只传递，而所托付之人可以是南来北往的亲友或熟识的官员、商人、参加科考的士子等。鲍廷博在乾隆四十八年九月十日写给黄易的信中交代得更为确切，他说："南北殊途，关河迢递，复又疏懒性成，以故候简缺如。八月间，令弟素庭兄南还，辱蒙云翰下颁，临风展读，如与晤言。""素庭"即黄易的弟弟黄童，是他南归时帮兄长带信给鲍廷博。同一封信中，鲍廷博又言："《永怀卷》，留于桐乡金云兄处，容即取归，附北上公车友寄览可也。""北上公车友"即北上进京参加会试者。

某种意义上，鲍廷博最终选择桐乡作为其家族的定居之地，运河应该是一个重要的考量因素。这对于他的藏书刻书事业、文化视野、人生格局和师友信函往来，都有着积极意义。

　　清初画坛群星璀璨，声名卓著者如"四画僧""清初六家""扬州八怪"等，皆引领一代风骚。其时浙江画家方薰与奚冈齐名，并称"方奚"。两人志行高旷，不慕荣利，被时人誉为"浙西两高士"，在文人士大夫间享有崇高声誉。

　　方薰（1736—1799），字兰坻，又字兰士、兰如、懒儒、长青，号樗庵、语儿乡农等，先世安徽歙县人，自高祖时始迁运河边的石门县（今属桐乡）定居。作为画家，他最为后世所重的作品无疑是《太平欢乐图》。该图应好友金德舆之邀绘制而成，共有图百幅，另配有赵味辛、李敬堂等撰写的文字说明。此图于乾隆帝第五次下江南时由金德舆进呈，因着意描绘京杭大运河浙江段沿岸百业兴旺、物阜民丰的市井生活而受到乾隆嘉奖。献图人金德舆也被朝廷授予刑部奉天司主事的官职。

　　应该说，此图本是一件士绅向皇帝献媚讨好的进身之物，却因为画家娴熟的绘画技巧和画作浓郁的运河风情而流传不衰，至今仍散发出摄人眼球的文化艺术魅力。

版本与流传

《太平欢乐图》除了金德舆进献内廷而杳无音讯的正本外，留在其手上的副本及多种临摹本不绝于世。目前为世人所知的共有七个版本，王振忠、徐贤卿、邹萍等学人对此均做过梳理和探讨^①，现概述如下。

其一是道光八年（1828）董棨临摹本，设色，图文合计一百开，半开为图，半开为文字。关于这个版本，董燿在画后有一段题跋道：

> 《太平欢乐图》，方樗庵先生所作也。其画后小记系赵味辛司马、李敬堂大令相与往复辨析，一一考之图经，稽之舆地，不敢稍参臆见，故无罅陋之议也。其正本于己亥（乾隆四十四年，1779）春仲为金云庄比部呈供内廷。丁卯（嘉庆十二年，1807）初夏，莲汀陈丈得副本于桐乡金氏，藏之以为永宝。丁亥（道光七年，1827）季冬，湘船濮丈假陈丈所藏副本嘱家君临摹全册，并命燿录小记于后，缘跋其所由来云。道光八年（1828），岁在著雍困敦陬月，秀水董燿谨识。

从中可知，此一版本系董棨遵濮承钧（字湘船）之命而作，文字出自董燿之手。所依底本是濮湘船从陈铣（号莲汀）处借得的

---

① 参见王振忠：《〈太平欢乐图〉的创作及其传承脉络——新见上海图书馆藏乐闲馆本研究》，陆勤毅主编《安徽文化论坛2013徽商与徽州文化学术研讨会论文集》，安徽大学出版社2014年。徐贤卿：《〈太平欢乐图〉的版本及其他——从嘉兴博物馆藏〈太平欢乐图〉谈起》，《东方博物》2014年第3期。邹萍：《方薰的艺术活动与著作》，硕士论文，中国美术学院2011年。

吴昌硕的书名题签

案浙江當歲除家戶買五色畫紙黏于壁間其
畫有太平有象圖眉壽福祿圖及和合如意諸
圖總名之曰歡樂易林曰仁德咸應民安歲樂
新書曰士民歡樂天下兩以長治也

道光八年（1828）董棨临摹本《太平欢乐图》内页

方薰真迹的副本，而此副本陈铣又得自金氏后人，系金家的旧藏。此版本现为私人藏家陆勇所有，2003年经许志浩编辑，由学林出版社出版。扉页有吴昌硕的书名题签，画的左下除一幅无印外，其他均有一方或两方钤印，印文有"荣印""梅泾老农""乐闲""董荣""董""荣""石农""臣荣印"等。

其二是道光十一年（1831）董荣临摹本，共八十九页，现藏于故宫博物院。部分图文收录于《清史图典·乾隆朝（下）》（朱诚如主编，紫禁城出版社2002年版）。此版本亦为对开册页，左纸右绢，左文右图，设色，纵14.8厘米，横9.3厘米。

其三是道光十六年（1836）董荣临摹本，原在湖州私人藏家手中，2008年被嘉兴博物馆征得，现藏于该馆。绢本设色，左半开为文字，右半开为图。纵20.5厘米，横27.5厘米，骑缝处有篆体长方印"乐闲临本"，现仅存三十七开，最后一开为董荣题跋。跋文内容前半部分与道光八年版基本相同，不同之处在于提到"陈丈所得之副本忽为黎神（按：指火神）取去，于是樗庵先生之真迹不可复得矣"。原来此时董荣所作的副本已被意外焚毁，于是"筠坪兄丈假濮氏临本，属家君摹仿全册"，并由董燿手录文字部分。

其四是道光十八年（1838）董荣临摹本，现藏于上海图书馆。有题跋两则。其一云：

> 《太平欢乐图》，方樗庵太夫子作也，每页缀以小记，分注名物，乃赵味辛司马、李敬堂大令相与博采群书，悉以校订，颇无间。然其正本于乾隆己亥春仲为金云庄比部进呈乙览，而藏其副本于家，继归于绿天书舫陈氏，藏之有年，后忽为吴回取去。于是樗庵太夫子副本、真迹，不可复睹矣。家君向有临本，藏于松月寮濮氏暨禾郡陆氏，今致祥别驾假陆氏藏本，属家君摹全

册，燿录小记，以仿前规。书竟，因跋数语，以志其始末云。道光戊戌夏五月，秀水董燿。

从以上跋文可知，此版本是在方薰所绘副本焚毁后，董棨根据自己之前临本的再临本。董棨此次所依据的临本先后藏于松月寮濮氏和禾郡陆氏，这一次由别驾致祥从陆氏借得，请董棨再次临摹，亦由董燿手书文字。

其二云：

> 此图为秀水董乐闲棨临方樗庵本。乐闲居邑之梅泾，号梅泾老农，又号石农，善花卉翎毛，师法方氏，中岁变以己意，其运笔点色，意态繁缛，而笔致清脱，众史弗及。山水人物，俱见工力。其子燿，号枯匏，又号小农，诸生，善诗工楷，山水法倪、黄，颇有意致，尝自镌一印，曰"陶诗欧字倪黄画"，其自负诚不凡矣！图共百页，精心临摹，形神毕肖，各页有枯匏楷书小记，自首至尾，均极工整秀丽，乔梓合作，洵为难得。可见太平之世，文士墨客潜心书画，累月经年，方克成此。今值文化衰颓之日，书画碑板无人问津，余以乡先贤之遗作，堪为我邑之文献，廉价得之，方私心窃喜，而人咸哂之，谓："是可为充饥之物欤？"余笑诺之。至图中所绘肩挑负贩之形形色色，余幼时尚得见之，今观全册，历历如在目前，以视今之肩贩者之情况，迥不相同，尤不胜今昔之感尔。庚寅（1950）元旦，后学陶山陶昌善呵冻识，时年七十有一。

据此可知，此版本于1950年为嘉兴陶昌善所得。陶视之为"乡先贤之遗作，堪为我邑之文献"，为此而"私心窃喜"。

其五是道光年间董棨临摹的另外一个版本，具体时间不详，现藏于中国国家博物馆。此版本共计一百开，半开为图，半开为文字，绢本设色，图纵19.2厘米，横12.2厘米。册后有董棨自跋。部分内容曾刊于《文物天地》1987年第1期，共十幅，仅有图画，未刊文字。

以上五个版本均为董棨所作。此外还有两个版本，分别出自湖州画家石渠和桐乡画家潘氏兄弟之手。

据清人蒋宝龄《墨林今话》记载："顷见石西谷临本，因并记之。"石西谷即石渠，字西谷，浙江归安县（今湖州市吴兴区）人，清中叶画家，善分隶，工人物写照，时来吴、淞间，颇有声誉。此版本今未见，或已散佚。

最后一种是光绪十四年（1888）上海积山书局的石印本。书前有钱塘吴淦所作序言，写道：

> 图为金鄂岩比部倩方先生兰坻所绘，凡百叶，各附以说，出赵味辛、朱春桥诸公手笔，鲍先生以文题以"太平欢乐"。乾隆五次南巡，进呈御览，蒙恩赏给缎匹，事载《桐乡县志》。夫上有尧舜之主，斯下有熙皞之民，亘古然矣。况纯庙上承列圣丕基，绥猷锡极，覆育所及，万汇骈罗，而浙江地综山海，人物昌盛，甲于东南，绘为是图，仰蒙睿鉴，甚盛举也。今年夏，余友潘雅声、叔和昆季搜得副本，付诸石印，说仍其旧，为雅声所书。展读数四，其中负者、戴者、手挈而肩挑者，形神逼肖，百货骈臻，益以见当时景运之隆，而鼓舞轩鬟如在目前。而今日之讴衢击壤，得以共享升平者，非先朝恺泽之留贻，曷克至此。而第云笔墨精良，考据明确，则犹浅浅乎测是图矣。
>
> 光绪十四年戊子秋七月钱塘吴淦叙于海上康胜斋南窗。

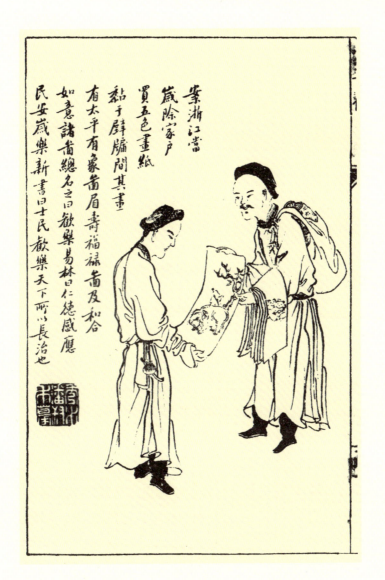

紫浙江當

歲除家戶

買五色畫紙

黏于壁牖間其畫

有太平有象畵眉壽福祿畵及和合

如意諸畫總名之曰歡樂易林曰仁德感應

民安歲樂新書曰士民歡樂天下所以長治也

光绪十四年（1888）上海积山书局石印本《太平欢乐图》内页

据此可知，此版本系潘振镛（号雅声）、潘振节（号叔和、叔禾）兄弟二人搜得方薰所作副本后付诸石印的。其中文字为潘振镛所书，而根据最后一张图上所钤的"秀水潘叔禾摹"可知，图为潘振节所绘。只是吴淦序中说潘氏兄弟在付诸石印之前"搜得副本"，这就与道光十六年版和道光十八年版董燿两次题跋中所说的副本被焚毁产生了矛盾。到底是陈铣撒了谎，还是潘氏兄弟搜得的是其他副本，抑或副本的副本，有待进一步考索。

此版本美国哥伦比亚大学藏有一部，中国书店则分别于1969年和1996年翻印（按：作者署名误作"金鄂岩绘"）出版。2002年王稼句编纂《三百六十行图集》时，亦将此版收录，由古吴轩出版社出版。

"江浙民间的风俗一斑"

周作人曾评《太平欢乐图》说："金、方二人都是浙西人，所以可以看见百七十年前江浙民间的风俗一斑，也是很有意思的事。"确实，为表现"士民欢乐"，一百幅画作的素材几乎涵盖了江南运河两岸的各行各业，难怪有研究者赞其为"盛清画家笔下的日常生活图景"。比如，与读书人有关的内容主要集中于读书生活和科举应试，《赶考市》中摊贩兜售的是士子应考时必须自带的"烛墩、水注之类，并竹篮用贮果饵诸物"；《乡试题名录》中的题名录亦称登科录，原本乡试揭榜之日，士庶皆聚观榜下，而那些身居远地的人只能"买题名录传观、指识以为荣"；《乡举卖烛》中单卖一种考烛，却有红、白之分，美其名曰三元烛，寄寓连中三元之意；《归安卖书人》生动描述了"浙江士人喜聚书而坊贾鬻书"的历史风貌；其他如《湖州毛笔》《新安墨》《碑林拓片》《刻图章》等，都是读书人必备的物品。从这些画面及文字透露出的信息来看，所售物品种类繁多，已成为足以养家糊口的专门职业。如果可以称为一个产业的话，其规模可见一斑。

同时我们也看到，文字作者在"往复辨析，一一考之图经，稽之舆地"的同时，不忘借题发挥，竭力歌颂本朝的文治之盛。如《赶考市》中在引述《文献通考》中唐代舒元舆举进士时"脂炭餐具皆须自将"的材料后，笔锋一转，写道："我朝嘉惠士子，试日膳饮皆官给，所自携者惟果饵之属耳。"一抑一扬，褒贬鲜明，意图明显。《归安卖书人》中则进一步阐明朝廷文治给士子带来的实惠，说"我朝右文稽古，开《四库全书》馆，裒辑群书，文德广被，士子益蒸蒸向学，各州邑书肆遂如栉比"。当狂热蒙蔽了理智的双眼，那些"右文稽古"背后文网的阴暗面也就很自然地被视而不见了。到了《碑林拓片》中，阿谀奉承的文字愈加明显，"翠华临幸以来，宸章睿藻辉映湖山，摹法帖者以良墨佳纸敬谨拓摹，士庶得之，珍逾球璧"。"翠华"即清帝的代称，"宸章睿藻"特指皇帝所作的诗文，所谓"辉映湖山"是一种夸大其词的空话，"敬谨"只不过是奴才的心理，"球璧"则是廉价的对比。

对于农事的关注，主要集中于表现物产的丰富，紧紧抓住了江南"鱼米之乡，丝绸之府"的地域特征。其中有一系列画作是描述杭嘉湖一带发达的桑蚕业的，《卖桑叶》表现桑叶的丰收，《卖蚕》历数蚕事之古今，《卖蚕茧》区分蚕茧的种类，《卖良丝》品评蚕丝质量的高低。另外，还有蔬菜瓜果、鱼蟹兽禽的收成，立体地展现出一派物阜民丰的盛世之景。

农业经济和市民社会的发展，必然带动手工业的兴起。各行各业的能工巧匠比比皆是，街头巷尾活跃着他们忙碌的身影。这些人以及他们所从事的行业，在画家笔下也是呼之欲出，有些至今仍可在江南的街头遇见。负担卖柴、下河淘沙是以体力维持生计；箍桶、修鞋是有技术含量的巧活；卖砖瓦、陶器、瓷器、锡器、竹器、木器的，想必作坊的规模不会太小；而中秋制月饼、元宵做圆子、端午包粽子，风俗节物异彩纷呈，增加了作品的乡土内涵。

在这一百幅作品中，笔者发现一个很有趣的现象，即几乎所有画面都是涉及买卖的商业活动。无论是农产品或手工业品的实物兜售，还是钉秤修鞋磨铜镜的手艺功夫，商品经济的意识已深入人心。对于利润的追逐，已经成为当时社会的普遍现象，就连一向清高的文人也会以欣赏者的眼光勤于表现，乐于赞扬。

在出售的诸多商品中，有很多值得注意，它们能够传递出鲜活的历史信息，将人们带进那个满目风雅的时代。日用品之外，有几种花卉包含其中，如盆栽的兰花、梅花、品字菊及荷花，应是品质生活的生动写照。箫鼓、玩具、金鱼、名鸟、扇子、古玩、萤灯、纸鸢，这些用来把玩游戏的商品，为贫乏单调的生活增添了无穷乐趣。沦茗用的山泉、正衣冠的铜镜，则是精致生活的追求。

《太平欢乐图》的图文虽然是在竭力表现当时的盛世之隆以取悦帝王，但客观上也寄托了这一时期人们对太平、欢乐生活的向往。从多幅画作及其文字说明中可以发现，作者在有意无意地点出"太平"之名的用意。此书首幅为《元旦吹箫》，原来浙江当元旦之时，寻常百姓家的孩童皆"吹箫击鼓以为乐，其箫曰太平箫，鼓曰太平鼓"，"我朝九奏告成，五音听治，当春阳之始布，验民气之时雍，唐韩愈所谓和其声以鸣国家之盛欤！"其歌功颂德的用心不可谓不露骨。此外，《元宵灯市》中街巷彩棚所悬花灯上的题词也有"天下太平"，《太平纸鸢》中群儿所放的风筝上也写着"太平春景"，而《吉祥如意万年青》中说万年青是"本朝亿万年太平一统之征"。这样直白的表述，其用意一目了然。

难能可贵的是，画作及文字不是空洞地粉饰"太平"，而是通过表现士民之"欢乐",以底层的视角来凸显盛世的氛围。就这一点而言,画家的眼光确实是独到的,其艺术品位又在一般溜须拍马者之上。《除夕欢乐图》说浙江当除夕之时,人们于壁间张贴五色画纸,其中就有"太平有象图、眉寿福禄图及和合如意诸图,总名之曰欢乐"。这原本就是民间流行的一种风俗画,应是"欢乐"之名的直接出处,想必作者正是从这里得到启发的。文字作者还援引《易林》中的话说"仁德咸应,民安岁乐",虽然夸大了统治者"仁德"的效应,但在个人喜怒决定天下安危治乱的封建时代,能否"民安岁乐",确实在很大程度上系于最高统治者的一人之身、一念之间。"太平欢乐"连用,是因为"太平"的概念只有通过士民的"欢乐"才能真正得到确认。如果仅靠统治者自作多情地在那里自卖自夸和几个无耻文人吹喇叭抬轿子,只怕没有几个人会相信。此外,图文的作者也有以图进言的意思。对太平盛世的极力渲染本身就很容易让统治者和被统治者都陶醉其中,而所引《新书》中的一句"士民欢乐,天下所以长治也"则是以悦耳的声音规劝统治者应该倍加珍惜与民同乐的机会。水能载舟,亦能覆舟,顺水行舟,国家才能长治久安。

诗作中的运河书写

除了画家的身份,方薰还是一位有名的诗人,从他的诗集《山静居遗稿》(见《清代诗文集汇编》)中,可以读到更多面的方薰。诗集中多有记述京杭大运河的作品,如卷一中的《踏塘车》,写到了《太平欢乐图》绝不会表现的民间疾苦:

> 去年踏塘车,田中赤裂飞黄沙。今年踏塘车,田中混濩多鱼虾。去年一旱三五月,今年风雨横交加。踏车一日,雨落一尺。

水深转车足无力，雨中踏车愁逼仄。昨日前日不得息，今日已暮仍乏食。雨不止，车不休。田中水，禾没头。眼中泪，车上流。子嚣去，妻难留。道旁哭，来日何人共车轴？踏塘车，声辘辘。

没有用绘画描绘的，则以诗记之，画与诗成为方薰点染山河、抒发情志的两种不同的艺术手段。

方氏诗作中集中写到的运河城市是杭州、嘉兴和苏州三府。据《明史·河渠志四》载：

江南运河，自杭州北郭务至谢村北，为十二里洋，为塘栖，德清之水入之。逾北陆桥入崇德界，过松老抵高新桥，海盐支河通之。绕崇德城南，转东北，至小高阳桥东，过石门塘，折而东，为王湾。至皁林，水深者及丈。过永新，入秀水界，逾陡门镇，北为分乡铺，稍东为绣塔。北由嘉兴城西转而北，出杉青三闸，至王江泾镇，松江运艘自东来会之。北为平望驿，东通莺脰湖，湖州运艘自西出新兴桥会之……

仔细梳理方薰的运河诗作，会发现他写到的点位基本上可以与上述《明史》中的江南运河水路相吻合。

先看其世居之地石门县城，这里隶属于嘉兴府，最先出现在他的诗集中。诗集卷一就有两首诗写到本地的文化名胜黄叶村庄，其一为《黄叶村庄》：

舴艋沿溪转，溪流绕岸斜。高情遗菜圃，小筑似山家。
阴合前朝树，香生旧种花。林塘才领略，烟景昔人夸。

其二为《重过吴氏林亭》：

> 踏莎湿两屐，乃知露未晞。俯行见我影，林罅来朝晖。
> 暂祛尘壒缘，复款烟萝扉。云构缅遗躅，乔木阴成围。
> 潜鳞暖欲上，蛰燕时还飞。悠哉感物性，及此见化机。
> 宗游仍昼寝，任钓空苔矶。斯人已寂寞，风雅其安归。

　　黄叶村庄为清初石门诗人吴之振所构筑，自创园之日起就成为本地文人士大夫的宴游之地。庄园占地约十亩，中有荷花池、一笛楼、竹洲草庐、丛桂小山、野航、濯足亭、宸翰碑、小蓬莱等景致。吴之振去世后，庄园为其长子吴宝林继承，不多久，宝林亦辞世，其长子吴大成、次子吴兰成因长期宦游在外，数十年间庄园已荒芜不堪。直至乾隆十九年（1754），归乡后的吴兰成才着手修葺，历时三月，始复旧观。方薰所见，当为吴兰成修葺后的园子。

　　每当方薰从石门县城沿京杭大运河北行时，首先要经过的便是玉溪镇。玉溪镇原名石门镇，康熙元年（1661）因避皇太极年号讳，改崇德县为石门县，石门镇亦同时被改作玉溪镇。石门之名可追溯至春秋吴越相争之时，因"置石门为吴越限"，故名，这里至今还保留着垒石弄的古名。方薰有感于吴越纷争的历史，遂作《垒石》诗：

> 断戈遗镞是何年？却与农人话古阡。
> 国耻竟亡歌舞后，行成曾笑霸图前。
> 揭来吴越兴亡地，又见唐虞耕凿天。
> 牧竖闲眠牛砺角，苍然垒石散平川。

　　此系诗人感叹朝代兴亡之作，全诗通过强烈的对比，写出历史的

（清）吴震翱绘《黄叶村庄图》

变迁与无常。特别是中间两联，以"笑"写"亡"，以吴越的兴亡反衬眼前的太平盛世，充斥着"古今多少事，都付笑谈中"的沧海桑田之感。

方薰沿大运河北上，多是到嘉兴、苏州游历。比如《五月七日同以文鄂岩过鸳湖有感》写的就是与鲍廷博、金德舆同游嘉兴南湖的经历：

> 双湖一水漾温暾，春涨鸥边认旧痕。
>
> 同调及时怜老友，孤舟伤逝黯吟魂。
>
> 岸花风里分香浦，塔影湾头学绣村。
>
> 正有情怀追往事，挂篷新月已黄昏。

除了吟咏大运河流经城镇的风景，还有直接描写大运河的诗作。比如《舟次王港泾》《夜发莺脰湖》等，写的就是江浙之间大运河上的水路见闻：

舟次王港泾

> 射襄城不辨，莺脰水奔浑。地古沉兵气，天寒积烧痕。
>
> 危桥通驿路，断汉聚鱼村。远远连乡树，帆悬夕照昏。

王港泾即王江泾，位于嘉兴城北，今隶属于嘉兴市秀洲区，有大运河入浙第一镇的美誉。春秋时吴越争霸，嘉兴境内多有两国屯兵之处，射襄城即其中之一，故址就位于王江泾地界。

夜发莺脰湖

> 轻舠剪吴淞，水月碎秋影。宵征揽兴遍，一苇落千顷。
>
> 坐失孤抱烦，快意兹境静。虚明目难极，清旷心自领。

民国二十二年（1933）《时代》杂志上的嘉兴南湖景象 / 范笑我供图

横跨王江泾段大运河的长虹桥 / 夏春锦摄

长烟入平望，列宿散高冈。中流平波台，栏榭吞溟涬。

鸿声远渐灭，渔火曙犹耿。少寐即胥江，繁霜压篷冷。

从平望的莺脰湖到胥江，走的就是京杭大运河苏州段的水路。胥江后名胥溪，是周敬王十四年（前506）由伍子胥主持开挖的人工运河，其年代远早于隋唐运河。

方薰年少时就曾随其父方椒游历苏州，成人后迫于生计而出为童子师，也曾在娄江（今苏州太仓）一带坐馆。从其《归途》诗中的"吴门底事往来频"句可知，他那时常常往返于江浙之间。

坐馆是被逼无奈之举，其《将之娄江留别鄂岩》诗写道：

漫言远别意迟迟，酒到花前懒放卮。

乡月不离游子影，交情多在故人诗。

本来去住俱飘泊，莫怪东西尽路岐。

愁说三江烟水润，布帆明发挂相思。

轻装待趁子猷船，满眼离惊烛泪悬。

暇日寄书期别后，经年欲语尽灯前。

定知气味同萧祐，早拟风裁似惠连。

除却加餐无别嘱，他时会合尚茫然。

鄂岩即金德舆（1750—1800），字少叔、鹤年，号鄂岩、云庄，原籍安徽休宁，祖上定居桐乡县城。其父金惟诗早逝，母亲朱氏将他抚育成人。金德舆七岁能诗，好读书，通金石，工书画。监生，因进《太平欢乐图》而授官刑部奉天司主事。在县城筑有桐华馆，富藏书法名画及宋元珍本，文人名士往来其中。方薰定居桐乡后即在桐华馆

71 — Soochow Creek

苏州段运河旧影 / 朱绍平供图

寄居多年，宾主相敬，彼此成全，传为艺林佳话。

从石门县沿京杭大运河往南即是杭州，方薰对这里更为熟悉，作有《鄂岳王墓》《钱王祠》《登吴山大观台》《武林杂咏》等大量写景之作。特别是在方薰晚年，时任浙江学政阮元因慕其名，盛情邀请他到杭州定居，方薰因此得以寄情西湖山水，时与文朋诗友唱和，度过了一段相对安逸的晚年生活。

诗集中留存的《再至武林泊北新关与弟茂夜话》《次临平山夜汲安平泉作茗饮》《十二里洋中流望两岸远山》《塘西口号》等是一组叙述沿大运河往来石门、杭州之间的作品，"北新关""临平山""安平泉""十二里洋""塘西"均是当时下塘河的流经之地，方薰用诗的形式生动地记录下自己的行程。现迻录《十二里洋中流望两岸远山》一首如下：

<blockquote>
陂塘水时涸，舟楫难旅情。掀篷人混漾，天水相与明。
掠波散鸥影，曳林起蝉声。芰荷隔浦香，桑柘开苴衡。
快此琉璃界，令我耳目清。中流山光来，争欲搴裳迎。
青浮云表出，翠抹烟中平。云烟一以散，远近难为名。
惜哉纵棹过，目断修眉横。
</blockquote>

【链接一】

金鄂岩先生进呈《太平欢乐图》原奏

臣读《汉书·食货志》，曰：余三年之食曰登，再登曰平，三登曰太平。《韩诗外传》曰：世之治也，黎庶欢乐，盖世治则时和，时和则景福攸臻，嘉祥迭应，人无俭岁之虞，户有丰年之乐。是故观民之欢乐，足以知时之太平；观时之太平，足以知民之欢乐也。伏惟皇上御宇以来，建极绥猷，揆文奋武，绍列圣之鸿谟，轶百王之盛轨。试观八极之大，九州之众，以及遐陬远徼，凡践土而食毛、含生而抱性者，罔不仰景曜之照临，被洪钧之覆育，欢喜踊跃，以鼓以舞。而浙江壤处东南，山水伟丽，銮辂时巡，神人协望，是以山海效其灵，风雨献其泽，稼穑同而庶物茂，仓廪实而财用饶，士歌于塾，农忭于野，商贾欢讴于衢路，万汇繁滋，四民乐业，熙皞之象，臣所目见。爰绘为《太平欢乐图》，谨呈皇上睿览焉。

（选自《太平欢乐图》，中国书店1996年版）

【链接二】

太平欢乐图
周作人

因了吴友如的画，自然就想起《太平欢乐图》来。现在只是一册石印小本，原本却是很讲究的，据说是乾隆中金德舆编了送给皇帝看的，由方兰坻作图，自太平箫以至年画，凡一百种职业。金、方二人都是浙西人，所以可以看见百七十年前江浙民间的风俗一斑，也是很有意思的事。所可惜的这是"进呈御览"的东西，免不了有许多封建气，如各色行商人头戴大帽，身穿长衫，与事实太不相符，其着短衣或戴卷边毡帽的不到十分一二。我自己还并不怎么馋痨，但不知怎的颇关心吃食的事，在这册图里略一检点，却发见卖点心的和卖水果的都只是各有八样，未免不满，大概实在也是行业太多，一百种包罗不下去的缘故。小时候最熟悉的馄饨担这里便没有，在《江南铁泪图》

中，戏台下画出一担来，觉得很可喜，虽然精工不及此书中的元宵担。吴友如画中或者不少此类小装点，只可惜隔的日子太久，已经记不清楚了。现今上海马路边的摊贩花样大有变化，如有吴友如似的人描写起来，那么百十种也一定不成问题的吧。

（选自《周作人文类编》，锺叔河编，湖南文艺出版社1998年版）

沈启震（？—1801），字位东，号青斋，又号松庐，桐乡青镇（今乌镇）人。他于乾隆二十五年（1760）中举，三十年乾隆帝南巡召试，钦取二等第七名。后又于乾隆三十四年登中正榜，中正榜系乾隆朝专为补选内阁汉中书和国子监学正、学录而开设，所以沈启震的首个官职即为内阁中书，官秩从七品。

虽非进士出身，但沈启震还是凭借个人的实干，由内阁中书，历官军机处行走、刑部云南司主事及福建司员外郎，最后外调为山东运河道、江南河库道加按察使衔，官秩一路升至从三品。他担任运河官职前后达十年之久，因"熟于河务"，多次受到乾隆的褒奖。过世后，还一度被民间奉作河神，足见其在运河沿岸百姓中的威望。

最恨同来不同往，潞河烟柳剧凄凉

沈启震出生于书香人家，幼年时父亲沈廷光（一作沈庭光）在吴门处馆，他和弟弟的教育主要由母亲孔继瑛负责。孔继瑛，字瑶圃，工书画，善操琴，尤精于诗，著有《瑶圃集》《南楼吟草》《鸳鸯佩传奇》等。她于乾隆元年（1736）嫁与诸生沈廷光，除了是一位名副其实的才女，还是一位教子有方的好母亲。她的教子事迹先后被陆以湉《冷庐杂识》和严辰《光绪桐乡县志》著录，还是后者书中十五位"贤母"之一。

从现存的孔继瑛所作诗句"夜枕先愁明日米，朝寒更典过冬衣"可知，沈氏家境贫寒，过的是节衣缩食的生活。孔继瑛持家有道，为了补贴家用，常常率婢女连夜纺织不倦，其诗句"窗下看儿温《鲁论》，灯前教婢拣吴棉"即是实际生活的写照。

孔继瑛在家悉心课子，严而有法，因无钱购书，便令长子沈启震向他人借书抄读。有时她也代为抄录，曾有诗记其事："手写儿书供夜读，身兼婢职佐晨餐。"可以说从学业和生活上都给予两子无微不至的关怀和照料。

正因为父母一生操劳，沈启震在独立生活后，便将二老接到身边奉养。从孔继瑛《震儿设教永平，移家就养，途中即事有作》一诗可知，沈启震在北京任职时，其父母已在身边。该诗写到了他们时常漂泊的生活：

> 有子悲风木，饥驱到北平。移家聊远道，就食怅余生。
> 载主亲封箧，栖神宛倚衡。同车频险阻，共命判幽明。
> 渡水潜相唤，登山恐或惊。崎岖轮易折，觳觫马难行。
> 揽袖看孙哭，烹茶有妇迎。为言官道近，齐说郡侯清。
> 地绕冈峦势，人多弦诵声。疏花开小院，斜日下高城。
> 聚似萍波泛，来当麦浪晴。黄泉谁问路，白发独添茎。
> 每忆黔娄被，徒怜考叔羹。萧条愁客馆，何日送归旌。

诗题中的"永平"当为永平府，明清时期是京东地区的政治、经济和文化中心，有"京东第一府"之誉。沈启震"设教永平"，因未见到更多史料，无法详述。开头第一句即可见出沈启震的一片孝心，

"有子悲风木"典出《韩诗外传》"树欲静而风不止，子欲养而亲不待"，后世遂以"风木"比喻父母早亡，不及奉养。沈启震早早将父母接到身边尽孝，足见其良苦用心。

南方人总归不容易适应北地的苦寒，再加上远离故土，思乡心切，其父沈廷光竟一病不起，客死他乡。沈廷光的遽然而逝对于这个原本聚少离多的家庭来说无疑是沉重的打击。孔继瑛对此更是痛彻心扉，其《悼亡》诗二首写道：

> 甘回蔗境亦何曾，卅八年光感废兴。
> 七品头衔添白发，一编手泽共青灯。
> 医从隔岁来无益，命入残冬续未能。
> 风雨南窗思往事，偷生此际独沾膺。
>
> 去年我病君还病，今日君亡我未亡。
> 半世穷愁全不减，一生离别此尤长。
> 贫依八口留京邸，梦逐孤儿返故乡。
> 最恨同来不同往，潞河烟柳剧凄凉。

从诗意来看，沈氏一家八口均跟着沈启震在京居住。沈父虽然也有七品的头衔，但韶光不在，晚年只能带病以著述自娱。沈廷光亡故后，沈启震负责将父亲的灵柩送回老家安葬。末句"潞河烟柳剧凄凉"告诉我们，他们的南归之路走得即是京杭大运河的水路。

沈启震服满后，一家人继续跟随他辗转于各处。其间他们一度到过济南，孔继瑛的《游大明湖》诗云：

> 大明湖景似苏堤，也向熏风策杖藜。

历下亭环流水曲，会波楼绕远山齐。

香飘花浦莲初放，歌入芦洲舫又迷。

一抹烟云催夕照，回看月挂柳梢西。

这是一首描绘济南大明湖初夏景致的诗作，作者以细腻温婉的笔触，勾画了大明湖的风物名胜。显而易见，诗人已从丧夫的悲苦中走出，取而代之的是悠游时的怡然与自适。

诗才政迹清如许，惟有梅花略似之

沈启震为官三十余载，一直葆有良好的官声。他生性淡薄，酷爱梅花，每到一地，必会亲手植梅数株于房屋旁。钱塘名士潘庭筠为此有诗赞曰："诗才政迹清如许，惟有梅花略似之。"

据史料记载，沈启震先后于乾隆四十四年十月至五十年十二月（1779—1785）、五十四年四月至五十七年七月（1789—1792）两次出任运河道台①。他在此岗位上实心任事，洁身自好，一直保持着清正廉洁的作风。

在清代，运河作为国家命脉，由朝廷任命的河道总督及其下辖的道、厅、汛等各级官员负责管理。河道总督为河道管理的最高级别官员，官秩从一品或正二品。雍正七年（1729），为进一步提高管理效率，遂将河道总督的职权分割为江南河道总督和河东河道总督。次年又添设直隶河道总督，从而形成了三者一同管理黄河和运河河务的格局。

河东河道总督驻节济宁，总管山东、河南两省的黄河和运河事

---

① 据《（道光）济南府志》记载，沈启震于乾隆五十四年（1789）二月由候补道署任济东道，在职仅两个月。

务。据相关研究显示，其下辖的运河道设立于乾隆五年（1740），"管辖区域覆盖山东运河全境，其下设管河六厅，分别为运河厅、上河厅、下河厅、捕河厅、泇河厅、泉河厅，其管辖区域、下辖官员在《清会典》、《山东运河备览》、雍正《山东通志》中均有所记载"①。

关于运河道的职责，窦重沂、郑民德《清代运河河政制度研究——以山东运河道为对象的历史考察》一文有较集中的介绍："职责主要包括疏浚河道、防河抢险、节制闸坝、调剂水源、经营河库与采购河工用料。同时还要协调与地方官员关系，负责事务繁多，地位极其重要，甚至官员调动也必须让位于河务。"②

在诸多职能中，疏浚河道无疑是山东运河道的首要工作。由于受黄河泥沙冲击，山东段运河挑挖疏浚的工程量大，任务重，难度高。乾隆五十年（1785）正月，沈启震正在运河道任上，时任两江总督萨载向乾隆皇帝上书道：

> 东省大挑运道工程，除河本宽深，未经估挑者，计五千八百二十五丈，现应挑浚河长一万八千四百七十五丈。原估挑挖口宽五六七丈，底宽三四五丈，深自一二尺至五尺五寸不等。韩庄以上，地势较高，总以水深六尺为度。八闸以内，至黄林庄交界，以水深七尺为度。又大泛口一段，为山泉涌发入运之处，停淤较厚，估挑以水深八尺为度。大泛口内，山河计长二百丈，纯系积淤。估挑口宽十丈，底宽六丈，深五尺，以为囊沙之地。臣率同淮徐河

---

① 窦重沂、郑民德：《清代运河河政制度研究——以山东运河道为对象的历史考察》，《德州学院学报》2019年第3期，第1页。
② 同上文，第2页。

道刘锡嘏、山东运河道沈启震等，逐段测量，其原估宽深丈尺，俱属合式。黄林庄与江南接壤，河道本窄，估挑口面虽止六丈，而水深亦以七尺为度。上下一律相平，将来漕艘往来利便，自甚有益。其原估土方，共用银五万八千八百三十八两二钱零。①

疏浚河道因关系到来年的漕运大计，所以上自封疆大吏，下至河道各级官吏都不敢等闲视之。有关淤泥堆积的确切数据，甚至要两江总督亲率道员"逐段测量"，才能确保万无一失。

除了大规模的疏浚工程，运河道还有忙不完的河道工事需要随时修缮。比如乾隆五十五年（1790）七月，山东运河迎来特大汛期，水灾泛滥，致使济南、东昌等府田禾被淹者达四十一个州县，朝廷为此不得不一面抓紧赈灾，一面组织抢修工事。山东巡抚长麟在给皇帝的奏折中转述沈启震的话称："卫河水涨，致临清州属之姜家庄，漫堤过水，汕刷堤顶三十余丈，现亦加料抢镶追压，月内即可赶筑完固。"②没过几天，乾隆又接长麟奏报："东省卫河水势盛涨，加筑子埝，昼夜保护。本月十二、十五等日，又陡长水三尺余寸，以致临清府属之姜家庄，漫堤过水，汕刷堤顶三十余丈，现在取土加料，赶筑完固。"乾隆闻知工程进展后，下旨回复说："览奏俱悉，详妥为之，俾受实惠，不可惜费。"③

转眼到了八月初十，长麟再次向皇帝上奏："抢护临清州姜家庄民埝，漫水现已堵闭断流，镶筑稳固。至卫河水势，较从前盛涨时，减水四尺有余，业将荆门等闸酌量闭板，俾上游之水，均由张秋东岸

① 《清高宗实录》卷1223，中华书局1985年版，第401页。
② 《清高宗实录》卷1359，中华书局1986年版，第220页。
③ 《清高宗实录》卷1359，中华书局1986年版，第222页。

五空桥、平水三闸等处，分泄入大清河归海，并将龙湾、魏湾等坝闸全行启放，宣泄甚属得力。""疏消被水各县坡水事宜，现委解任道员归朝煦协同运河道沈启震分头照料。"①我们所能看到的都是巡抚长麟向皇帝邀功讨赏的场面话，偶尔提及下属官员的名字，也只是轻描淡写的几句，但就是在这看似平淡的文字背后，具体办事的人所要付出的是难以想象的辛劳。

此外，运河道还有一项烦琐的工作必须兼管，那就是对河库的经营管理。河库负责河工经费的收支，具体工作有物料采购、资金支配、湖银征收等，看似天天与银钱打交道，是人人羡慕的肥差，但风险大，诱惑更多。因常年与儿子生活在一起，孔继瑛深知其中的利害，便有意提醒儿子："毋谓不足而多取一钱，毋谓有余而多用一钱。"沈母此举在士林中被广为传颂，治河名臣嵇璜②闻后也深为触动，特书"慎一斋"匾额相赠。沈启震以此自励，他日又以之命名自作诗集，曰《慎一斋诗集》。

衙官我独受知深，拜送依依泪不禁

运河道任上的工作虽然繁重，好在济宁地处水路要冲，从这里过往的文朋诗友不在少数，这使得沈启震的生活不至于太单调。

首先应该提及的是钱塘书画篆刻家黄易，其时他也在济宁运河厅任职，担任正五品同知。运河厅是运河道下属的主要职能部门，承担运河管理业务，所以两人无论是在工作上还是在生活中都过从甚密。

黄易是乾隆四十三年（1778）正月到任的，沈启震则于乾隆

---

① 《清高宗实录》卷1360，中华书局1986年版，第233页。
② 《光绪桐乡县志》卷十五《人物志下》误作"嵇曾筠"，嵇曾筠乃嵇璜之父。

四十四年八月出任运河道。因黄易年龄偏小，所以一直师事沈启震，颇受沈的照拂。

黄易为沈启震刻"梧桐乡人"印

在济宁期间，黄易曾为沈启震治印三枚。一枚印文为"青斋"，边款为"乾隆庚子六月十有三日，钱塘黄易谨刻"；一枚印文为"沈启震印"，边款为"汉印有沈性、沈延年、沈颐、沈子卿诸章。阴文双边，亦汉人法也。属吏黄易谨刻于济宁之尊古行斋"；还有一枚印文为"梧桐乡人"，标示的正是沈启震的籍贯，边款则已漫漶不易识别。

现存还有三通沈启震写给黄易的手札，内容涉及运河管理事务、两人交谊、卸任南归等事，写信时间与沈启震在运河道的两个任期基本重叠。

其一云：

> 接来翰，知署中诸事具费清心。仆南路查工已竣，现在星驰回沛，大约初四日晚间可到，诸俟面谈，此复。名心具。

由此札可知，沈启震外出查工之时，署中之事曾由黄易代为署理。"沛"即沛水，济宁的代称。字里行间，可见沈、黄二人的心照不宣。

其二云：

> 前接手字，知体中渐健，宪待甚优，极为慰藉。足下蕴蓄长材，正当及时宣布，将来成就自未可量。愚虽量移省会，而朝

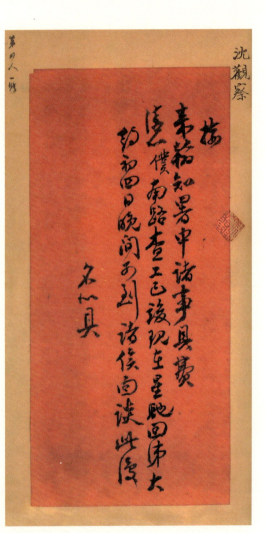
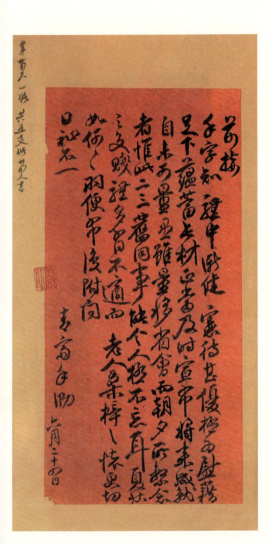

沈启震致黄易手札

夕所系念者惟此二三旧同事，能令人极不忘耳。夏秋之交，贱体多有不适，而老人桑梓之怀更切，如何如何。羽便布复，附问日祉。不一。青斋手泐。六月二十四日。

从沈启震的手札中可知，他对黄易的能力和才华是十分赞赏的，所以对其前途也寄予厚望。沈启震还流露了自己的"桑梓之怀"，其返乡之心切，跃然于纸上。

据薛龙春判断，此札"很可能作于乾隆五十七年（1792）六月二十四日"，正是沈启震第二次任运河道后行将卸任之时。此时沈启震与黄易均因操劳河务，双双健康不佳，沈氏遂有转任他职或辞职养病之意。对此，《乾隆帝起居注》"五十七年七月十四"条记载，时任河东河道总督李奉翰有"奏山东运河道沈启震患病未痊，请解任回籍等语"。乾隆下的谕旨是："沈启震着准其回籍调理，原任河南河北道唐侍陛，现已服满，所有山东运河道员缺，着唐侍陛补授。"[1]

唐侍陛系湖广总督唐绥祖之孙、广西迤西道唐宬衡之子，早年以恩荫得官，所以仕途颇为顺遂。但这位新上司的到来，令黄易颇感不适，他在写给魏成宪的手札中抱怨道：

因沈青斋师南返，接任者局面豪华，不知恤属，弟首厅多费，何堪又添重累。以是年余以来，心境恶劣，握管稀疏，至好如大兄，久缺招笺，寸心惶愧，不可名言。

"局面豪华，不知恤属"是黄易对沈启震的接任者唐侍陛的严词

---

① 《乾隆帝起居注》，中国第一历史档案馆编，广西师范大学出版社2002年版，第39册，第234页。

批评，以此反观，倒可以从侧面看出沈启震的待人接物之道。面对不能体察下属的长官，一年多来黄易心情郁闷，以致连握管挥毫的兴致都提不起来。

其三云：

> 鲁桥话别，黯然于怀，想文驾归途安好，为慰。愚于朔日抵台庄，即日行出东境，晚间当泊河清闸矣。舟次应酬颇杂，此后可期清静。康公处已遣弁护行，一路自能妥适，幸勿廑怀。率此鸣谢，并以志别。顺候近佳。不一。松庐震手泐，小松足下。九月朔，孟林庄舟次寄。诸同人均此道别，不及一一作札矣。

此札作于乾隆五十七年（1792）九月初一，其时沈启震刚卸任运河道一职，正沿着京杭大运河南归。话说沈启震行舟至孟林庄，眼看就要出山东，于是致书黄易，详细介绍了别后的行程，以便故友释念。因山东境内曾是自己的管辖范围，沈启震颇得了许多方便。

临别之际，黄易等同僚与沈启震在济宁境内的鲁桥闸话别，黄易当日有诗《送青斋师归里》五首相赠，写得情真意切：

> 河岸秋风吹蓼花，宦情已淡爱归槎。
> 波平如镜帆安稳，缆解南池即是家。
>
> 还记仙源绛帐清，金丝堂列鲁诸生。
> 文澜学海先生志，书院犹题分水名。
>
> 倚马千言存信史，治河三策又成书。
> 显扬以后无他愿，万壑松风静结庐。

胜地重新浣笔泉，无人不喜礼三贤。

休言李杜高风少，镜水归舟亦是仙。

衙官我独受知深，拜送依依泪不禁。

感极寸心惟祷颂，愿公途次得泥金。

黄易在诗中对沈启震所经历的几件旧事做了回顾，其中有两件颇值得一提：

一是乾隆五十二年（1787）沈启震捐银2500两，与乡绅严大烈等于青镇北栅创建分水书院。沈还亲自为书院三元阁题写对联"天锡名山储二酉，人登杰阁兆三元"，对乡里后学寄予厚望。据黄易透露，"文澜学海先生志"，致仕后的沈启震有意回乡办学，继续造福桑梓。

二是诗中提到的浣笔泉，又名墨华泉，是济宁城中一处人文名胜。相传诗人李白羁留济宁时，曾在此浣笔赋诗，因此得名。明嘉靖年间，有好事者始在泉旁构亭，后经多次营建，以"墨华泉碧"之名成为济宁八景之一。

乾隆五十六年，时任河东河道总督的李奉翰又重修浣笔泉，特于泉旁另起层楼，内祀李白、杜甫、贺知章三公像，供世人瞻仰。此次重修，李奉翰还约请巡漕使和琳作记，运河同知黄易绘图，学使翁方纲、运河道沈启震等皆有和诗，一并刻石嵌于壁间。沈启震有题跋以记其盛：

乾隆辛亥五日，重修浣笔泉落成，节使希斋知公为文以纪其事。时公将入都，大司马香林李公率僚属饯公于此。见壁间有石刻木兰山人刘浦诗，盖浚池之日得之于颓垣败土者也。两公亟

分水书院，后更名为立志书院 / 张雄伟摄

如今的浣笔泉 / 夏春锦摄

赏之，迭为和章，一时名公巨卿赓者甚众，爰汇成一帙，钩勒上石，并附拙诗二首于后，而以黄小松郡丞所绘《浣笔泉图》弁诸简端，共垂不朽云。桐乡沈启震题并跋，曲阜高登云镌。（《济州金石志》卷五）

从文中得知，借着重修后的浣笔泉落成，李奉翰特意率同僚在此为即将离任的和琳践行。此举令和琳十分感慨，以致日后还在诗中反复念叨。

乾隆四十一年（1776），诗人刘浦（字荻江，号木兰山人）客居济宁，过浣笔泉时写下一首题壁诗。因此诗立意新奇，含蓄隽永，一经问世，便名动士林，步韵酬唱者不绝。沈启震在饯别宴上的两首即其中翘楚，诗云：

> 源分泗水辟方池，座列三贤葺旧祠。
> 人地废兴原有数，主宾今古宛同时。
> 新移竹影亭前画，细辨苔痕壁上诗。
> 樽酒落成兼送别，高情留与后来知。
>
> 生面重开对绿池，登楼再拜谒遗祠。
> 徒因笔墨传多事，未必须眉似昔时。
> 明月相邀同饮酒，暮云有约共论诗。
> 镜湖更忆归舟客，一瓣心香只自知。

沈启震之作借古喻今，句句落到眼前，处处想要凸显新祠的"生面重开"及今人雅集的盛况。"明月相邀同饮酒，暮云有约共论诗。镜湖更忆归舟客，一瓣心香只自知。"卓然成句，令人想见其诗人风致。

黄易的第三首诗中还提到"治河三策又成书",从而得知沈启震还撰有治河的专书。只是此书至今未见,不然将为沈启震这十年运河道生涯提供更丰富的史料。

故知好在他乡遇,后会期于此地过

上文提到的巡漕使和琳(1753—1796),字希斋,钮祜禄氏,满洲正红旗。他是权臣和珅的胞弟,还是一位能文能武之士。早年由笔帖式累迁至湖广道御史,此后青云直上,历任内阁学士兼礼部侍郎、兵部侍郎、工部尚书、镶白旗汉军都统及四川总督等要职。

和琳于乾隆五十七年(1792)随军入藏,在此之前担任过四年山东巡漕使,在职期间因工作上的关系结识了李奉翰、沈启震、黄易等人。后来他们发现彼此志趣相投,因此往来唱和甚多。和琳诗作大都收录在《芸香堂诗集》抄本中,与沈启震相关的共有七题十二首。其中最多的是平日里诗酒宴会之作,如《沈青斋观察席步黄小松司马韵》诗云:

> 联袂青宵唱竹枝,缠头分拟比红诗。
> 如君顾曲多公瑾,笑我衔杯让适之。
> 入夜流连宁在卜,当筵潦倒不容辞。
> 明朝遮莫晨牙放,小叙论文午未迟。

此次聚会显然由沈启震做东,和琳为主客,黄易作陪。虽然有身份官职的不同,但众人于酒桌上尽显文人本色,诗酒流连,令人喜不自胜。

和琳对沈启震亦相当热情,其《舟中约沈青斋听歌,阻风不果,诗来和韵以答》写道：

> 风狂浪卷夜航寥，小泊荒村忆客宵。
> 弦索吴伶低唱罢，南阳湖阔月沉桥。

> 飞笺相约梦仙游，十八风姨滞彩舟。
> 笼烛垂帘浇渌醑，闲情独自数更筹。

和琳生性潇洒浪漫，仗着朝中有人，公务之余不免纵情声色。他原本约沈启震到舟中听曲，怎奈狂风突至，竟致爽约。沈启震为了不失礼数，还是以诗相酬，和琳收到诗后亦欣然步韵以答。从诗的内容来看，当日和琳心中不免怅怅，只能"笼烛垂帘浇渌醑，闲情独自数更筹"，一个人喝着闷酒。

因公务繁忙，和琳也有身不由己的时候。其《回次南阳，沈青斋邀登公寓小集，未暇泊舟，蒙送看馔，口占即招过饮，时端阳第二日》云：

> 多谢仙厨一苇杭，为怜馋口实饥肠。
> 骊歌志别愁倾听，春酒无人怯独尝。
> 对烛清谈风作剪，看花小饮夜留香。
> 柘榴红绽菖蒲绿，行止烦君自主张。

平日的觥筹交错，或有官场应酬之嫌，但彼此揖别时依依不舍的真情实意，却不应被怀疑。和琳有《送沈观察终制南旋留别原韵》，即是赠别之作：

才叼予告又淹留，暂假官身作宦游。

马迹未离任子国，梦魂先到大观楼①。

别同江令书成赋，人羡林宗渡共舟②。

今日殷勤嘱杨柳，旋看高步五云头。

和琳在诗中称沈启震为"观察"，这是当时对道台一职的别称，据此可以明确其时沈氏已在运河道任上。而从"终制"二字得知，此时沈母孔继瑛应该也过世了，沈启震又须丁忧三年，所以才有"南旋"之举。据此推测，沈启震两次出任运河道，中间的三年多时间即在为母守制。服满后又回到济南候补，得以第二次就任运河道。

如前所述，当和琳要离职赴京时，李奉翰率众为之钱别。当日和琳有感而发，写下了《重修浣笔泉告成，李香林制军、沈青斋观察为余祖道于此，用壁上木兰山人韵志别》一诗：

太白楼临杜老池，此间合祀有专祠。

林泉竟属先生地③，风雅刚逢我辈时。

梁绕骊歌频进酒，壁留鸿爪共题诗。

他年重过应相访，直与三公作旧知。

所谓"祖道"，即设宴送行。当日有多人同席，而诗题中只提了李奉翰和沈启震，足见沈在和琳心中的地位。浣笔泉钱别后，沈启震还亲自将和琳送至清源这个地方，和琳再作《清源留别沈青斋观察二

---

① 原注：观察家楼名。
② 原注：惟时予亦催空南下。
③ 原注：杨公二酉有对联，下句云："名泉从此属先生。"

首》以谢知交：

星槎夏五赋归与，底事离群怅索居。
四载官情非邂逅，一心国是足相于。
布帆风饱汶流急，丝柳堤牵客意徐。
迢递水程劳送远，忽惊明日又分裾。

千里终须一别何，津梁休唱渭城歌。
故知好在他乡遇，后会期于此地过。
塞上秋高鸿唳月，济阳水碧鲤横波。
两边都有胜常问，试较相思那处多。

济宁诗友的嘤嘤友声，确实令和琳难以忘怀。他到西北行军途中仍惦念着朋友们的这份深情厚谊，在到达潼关时作有《潼关有怀李香林、沈青斋、顾元吉、何麓门诸公》诗以寄怀：

又是秋深奉使新，一行军马乍游秦。
曾经鲁国多君子，恰到西方忆美人。
山色尽教红叶染，客途初禁绿醑亲。
龙门浊浪飞流下，手叠花笺付锦鳞。

熟谙河槽复知工，自笑书生事事通。
雨露恩深容振翮，春秋笔锐献雕虫。
窗含秦岭三更月，人叩潼关八扇风。
回首去年今日里，青斋伴我佐明公。

今浣笔泉内的"墨华"石碑 / 夏春锦摄

重九新缄一纸书，旌旗此祭盍归与。

安澜喜报天家后，致养欢承萱室余。

西席解人相唱和^①，东园散食自浇蔬。

怀公饶有闲情思，为问诸郎得似初^②。

济阳旧雨半诗家，四载张骞此泛槎。

浣笔泉^③开争饯我，南池馆^④近日寻花。

楚咻醉德何山长^⑤，吴语低闻顾老爷^⑥。

如此欢娱如此景，望风怀想各天涯。

　　此诗和琳一口气写下四首，真可谓往事历历在目。这段巡漕使经历"如此欢娱如此景"，禁不住要时常浮现于眼前。怎奈"望风怀想各天涯"，只能寄希望于来日再会了。

　　只可惜，嘉庆元年（1796），和琳在围攻平陇的战役中染疾身亡，年仅42岁。沈启震回乡养病后，一度被重新起用。据嘉道间王培荀所著《乡园忆旧录》载：

　　嘉庆四年，因河工急，特旨起用。任事尽瘁，自备食物，昼夜巡查，至连日不归寝，以劳卒。自作联云："动关百万生灵命，不用分毫造孽钱。"殁后，相传为河神。

---

① 原注：谓顾元吉、何麓门二先生。
② 原注：伶人数辈皆善昆曲。
③ 原注：太白读书处。
④ 原注：杜少陵古迹。
⑤ 原注：麓门，湖南人，酒后乡谈聒耳。
⑥ 原注：元吉醉后，诸伶争唤之，必一一酬答，取以为笑。

身兼漫画家、散文家、翻译家和美术教育家等多重身份的丰子恺（1898—1975），可谓家喻户晓的人物。他以卓尔不群的才华、率真洒脱的个性和言近旨远的作品，成为中外读者心目中"现代中国最像艺术家的艺术家"。日本汉学家吉川幸次郎甚至说："如果在现代要想找寻陶渊明、王维那样的人物，那么，就是他了罢。他在庞杂诈伪的海派文人之中，有鹤立鸡群之感。"

这位享誉国际的艺术家出生在京杭大运河桐乡段上的石门湾——一个因大运河在此拐了一个120度大弯而被赋名的地方。这样的湾，对于全长1782公里的京杭大运河来说，并不罕见，但对于丰子恺而言，却是寄予了无限乡愁的桑梓之邦。

世居石门湾

丰子恺曾在逃难的悲愤中写下《辞缘缘堂》一文，文章开头饱含深情地说道："走了五省，经过大小百数十个码头，才知道我的故乡石门湾，真是一个好地方。"这是丰子恺尝尽了逃难中颠沛流离之苦后吐露的心声，他那时已在广西思恩，回望1600余公里外的故园，京杭大运河之畔的江南风物与风情，仍如西洋镜中的画片一般不时地闪现于眼前。

据《浙江乡试录》记载，丰子恺的祖上"世居石门县玉溪镇木场桥河西"。石门县原名崇德县，玉溪镇即原石门镇，俗称石门湾、石湾，县与镇的名称是康熙元年（1662）为了避清太宗皇太极（年号崇德）的讳而同时更改的。木场桥今存，横跨于运河的支流后河之上，原为三孔的石梁桥，因河道拓宽，已改建为钢筋混凝土桥。后河又称木场桥港，是大运河分出的一条支流，当年其西岸有一排坐西朝东的房子，其中一家就是丰同裕染坊。丰同裕染坊由丰子恺的祖父丰肇庆创办于咸丰十一年（1861），是丰家除了数十亩薄田之外的主要收入来源。现存一帧约摄于1936年的丰同裕染坊旧照，身着长衫的丰子恺立于中间，两边站立着他的家人、亲友和店员，在他们面前的就是后河。

丰子恺的祖上是从金华的汤溪镇黄堂村迁到石门湾的，具体原因不详，但无疑与运河有着千丝万缕的关系。从丰子恺上溯到第八代的祖先叫丰尔成，担任过八品官，曾参与迎接康熙南巡的工作。第七代以下，到其祖父丰肇庆，代代都是太学生。

丰氏的先人，南下北上寻求功名，最便利的交通方式就是家门前的这条大运河。就拿丰子恺的父亲丰镇来说，他于光绪九年（1883）考取第七名秀才，考试地点石门县县城（今桐乡市崇福镇）和嘉兴府府城（今嘉兴市区），与石门湾之间都是由大运河直线相连的，到县城和府城，走运河始终是首选的出行方式。中秀才后，丰镇须到杭州参加乡试，直至第四次才考中举人。从石门湾到杭州，大运河也是必选之路，据丰子恺回忆："那时没有火车，便坐船去。运河直通杭州，约八九十里。在船中一宿，次日便到。"（《中举人》）

丰镇最后一次赴杭州参加乡试时，其母丰八娘娘叮嘱道："斛泉，到了杭州，勿再埋头用功，先去玩玩西湖。胸襟开朗，文章自然生色。"丰母常年卧病在床，为人旷达乐观，十分好强，曾对人说：

石门湾／施青山摄

"坟上不立旗杆，我是不去的。"按那时石门湾的旧俗，家里有人中举，祖坟上可以立两个旗杆，以示光宗耀祖。母亲的殷殷厚望，无疑让丰镠充满了压力。

因为有过三次名落孙山的经历，大考后回家等候消息的丰镠茶饭无心，心思全在运河上自北而来的船只上。中秋节后的一天，报事船果然沿着大运河从嘉兴府城驶来。当报事船从运河转进后河时，报喜的锣声早已传至丰家。伴随着"丰镠接诰封！丰镠接诰封！"的欢呼声，一大群看热闹的乡亲也蜂拥而至，沉闷的古镇一时间热闹非凡。

欣及旧栖

丰镠中举时虚龄三十八岁，那时他们一家还和族人挤在祖屋惇德堂里。丰同裕染坊就设在惇德堂临后河的街面房中，因直面运河，生意上迎来送往更为便利。老屋虽然低矮而逼仄，丰子恺却对它饱含深情，他说：

> 这是我父祖三代以来歌哭生聚的地方。直到民国二十二年缘缘堂成，我们才离开这老屋的怀抱。所以它给我的荫庇与印象，比缘缘堂深厚得多。虽然其高只及缘缘堂之半，其大不过缘缘堂的五分之一，其陋甚于缘缘堂的柴间，但在灰烬之后，我对它的悼惜比缘缘堂更深。因为这好比是老树的根，缘缘堂好比是树上的枝叶。枝叶虽然比根庞大而美观，然而都是从这根上生出来的。（《辞缘缘堂》）

惇德堂因是祖上的遗爱，丰子恺对它的感情自然会更深一层。他不仅出生于此，还在此度过了充满悲欢离合的童年和少年时代。特别是父亲的早逝，使他九岁时"便是这老屋里的一个孤儿了"。抗战逃难的路上，每逢在报纸上看到关于石门湾的消息，丰子恺总要梦见在故乡闲居时的往事，而背景大都是这座百年老屋。老屋承载着家族和童年的记忆，深深地根植于他的心底。

凝聚了丰子恺个人心血的则是缘缘堂。话要从1921年说起，当时丰子恺因要东渡日本游学，其母钟云芳为了筹措经费，出售了下西弄的一处祖传老屋。此举遭到街坊邻里的非议，成为他的一个心结。数年后，钟云芳在老屋背后购买了一块宅基地，还曾带丰子恺借了邻家的六尺杆去丈量过，盘算着可以造多大的新房。因丰子恺婚后得了"子烦恼"，在其母生前，盖房的承诺始终没能兑现。

直到1932年，随着稿费收入渐丰，丰子恺才下定决心完成母亲的这个遗愿，动工兴建缘缘堂。为了告慰先人，他特意请人在新屋的台门上刻了"欣及旧栖"四个字，其欣慰之情，溢于言表。

这是一座具有浓郁的丰子恺美学风格的建筑，源于主人的匠心独运。他曾坦言：

> 缘缘堂构造用中国式，取其坚固坦白，形式用近世风，取其单纯明快。一切因袭、奢侈、烦琐、无谓的布置与装饰，一概不入。全体正直（为了这点，工事中我曾费数百圆拆造过，全镇传为奇谈），高大，轩敞，明爽，具有深沉朴素之美。（《辞缘缘堂》）

丰子恺视缘缘堂为"灵肉完全调和的一件艺术品"，声称"倘秦始皇要拿阿房宫来同我交换，石季伦愿把金谷园来和我对掉，我决不同意"。他之所以如此讲究建筑的品位，是因为其中饱含了一位慈父对儿女们广大深沉的爱。他确信"环境支配文化"，这样光明正大的环境，既契合了自己的胸怀，也可以涵养孩子们好真、乐善和爱美的天性。

桐乡市丰子恺纪念馆分为两部分：丰子恺故居"缘缘堂"和丰子恺漫画馆 / 徐建荣摄

从缘缘堂落成的1933年至1937年仓皇出逃，丰子恺一家在这个乱世中的桃花源度过了五年难得的静谧时光。当他惊闻缘缘堂被日寇的战火焚毁，其中的一草一木便如在目前：

春天，两株重瓣桃戴了满头的花，在门前站岗。门内朱楼映着粉墙。蔷薇衬着绿叶。院中秋千亭亭地立着，檐下铁马丁东地响着。堂前燕子呢喃，窗内有"小语春风弄剪刀"的声音。这和平幸福的光景，使我难忘。夏天，红了樱桃，绿了芭蕉，在堂前作成强烈的对比，向人暗示"无常"的幻相。葡萄棚上的新叶，把室中人物映成绿色的统调，添上一种画意。垂帘外时见参差人影，秋千架上时闻笑语。门外刚挑过一担"新市水蜜桃"，又来了一担"桐乡槜李"。喊一声"开西瓜了"，忽然从楼上楼下引出许多兄弟姊妹。傍晚来一位客人，芭蕉荫下立刻摆起小酌的座位。这畅适的生活也使我难忘。秋天，芭蕉的叶子高出墙外，又在堂前盖造一个天然的绿幕，葡萄棚上果实累累，时有儿童在棚下的梯子上爬上爬下。夜来明月照高楼，楼下的水门汀映成一片湖光。各处房栊里有人挑灯夜读，伴着秋虫的合奏。这清幽的情况又使我难忘。冬天，屋子里一天到晚晒着太阳，炭炉上时闻普洱茶香。坐在太阳旁边吃冬春米饭，吃到后来都要出汗解衣裳。廊下晒着一堆芋头，屋角里藏着两瓮新米酒，菜橱里还有自制的臭豆腐干和霉千张。星期六的晚上，儿童们伴着坐到深夜，大家在火炉上烘年糕，煨白果，直到北斗星转向。这安逸的滋味也使我难忘。现在飘泊四方，已经两年。有时住旅馆，有时住船，有时住村舍，茅屋，祠堂，牛棚。但凡我身所在的地方，只要一闭眼睛，就看见无处不是缘缘堂。（《辞缘缘堂》）

这就是丰子恺始终心驰神往的"安乐的故乡",因为以运河为中心的河道密布如网,"水陆的调剂特别均匀,所以寒燠的变化特别缓和"。四季在渐渐中推移,日子被缓缓拉长,使人在不知不觉中变得闲适而自足。

缘缘堂不仅涵养了丰子恺的子女,也给了他无数创作的灵感。在这五年中,他虽赋闲家居,却迎来了写作、绘画的黄金期。这一时期出版的散文集、漫画集、艺术理论及相关教材达数十种之多。不少乡土散文与漫画素材就取自缘缘堂的日常及大运河畔的风土人情,江南运河的元素在丰子恺的作品中打下了深深的烙印。

双城记

缘缘堂落成后的第二年,由于几个子女到了升中学的年龄,丰子恺便把他们都送到杭州去求学。因考虑到要就近照顾他们,再加上自己素爱杭州西湖的佳山水,丰子恺便决定在杭州租屋陪读。他的安排是:春秋两季到杭州居住,寒暑假则一同回石门。这样的双城生活前后持续了三年时间。

两地来回奔波,本来是件苦差事,但因为得了运河之便,反而成了一种休闲。从石门湾到杭州,有两条路线可走:一是溯运河先坐两小时的轮船到海宁的长安,再从沪杭铁路长安站上车,坐一小时的火车到杭州。二是单纯坐客船,完全沿着京杭大运河走,这样须在塘栖过一夜,再行船至杭州城内的横河桥上岸。丰子恺常常选择后者。因为京杭大运河南达杭州,北通嘉兴、上海、苏州、南京,直至北方,石门湾里聚集着无数南下北上的客船。乘客可挑选自己最中意的一只,一天便到嘉兴,一天半可到杭州。这种客船有些特别,是水乡一带特有的,丰子恺有过描述:

客船最讲究，船内装备极好。分为船梢、船舱、船头三部分，都有板壁隔开。船梢是摇船人工作之所，烧饭也在这里。船舱是客人坐的，船头上安置什物。舱内设一榻、一小桌，两旁开玻璃窗，窗下都有坐板。那张小桌平时摆在船舱角里，三只短脚搁在坐板上，一只长脚落地。倘有四人共饮，三只短脚可接长来，四脚落地，放在船舱中央。此桌约有二尺见方，叉麻雀也可以。舱内隔壁上都嵌着书画镜框，竟像一间小小的客堂。这种船真可称之为画船。这种画船雇用一天大约一元（那时米价每石约二元半）。我家在附近各埠都有亲戚，往来常坐客船。因此船家把我们当作老主顾。但普通只雇一天，不在船中宿夜。只有我到杭州，才包它好几天。（《塘栖》）

雇这种客船相对于坐轮船和火车有三个好处：一是开船时间可以由自己定，不像轮船和火车要乘客准时去等候；二是行李不必费心检点，也无须用力捆扎，只要把被褥、枕头、书册、茶壶等所携带的物品往船舱里一送，船家自会帮你布置妥当；三是经过沿途的码头，客人可关照船家随停随开，如有兴致，还可以上岸去观光购物，这是轮船和火车所万万办不到的。

第三点尤其投丰子恺所好，特别是每回总免不了要到塘栖过上一夜，除了上岸买些当地的名产，如糖枇杷、糖佛手之类，还一定要到靠河边的小酒店中寻一个幽静的雅座，自顾小酌一番。酒当然以丰子恺最爱的花雕为上选，小菜并不讲究，冬笋、茭白、荠菜、毛豆、鲜菱、良乡栗子、熟荸荠等都是他的所爱。因为是悠游，尽可以"浅斟细酌"，待酒足饭饱之后再"迟迟回船歇息"。即使下雨，也可不顾，因为老塘栖沿运河的街上全是凉棚，不怕没处躲避。丰子恺为此感慨说："这种富有诗趣的旅行，靠近火车站地方的人不易做到，只有我们石门湾的人可以自由享受。因为靠近火车站地方的人，乘车太便当；即使另有水路可通，没有人肯走；因而没有客船的供应。只有石门湾，火车不即不离，而运河躺在身边，方始有这种特殊的旅行法。"（《辞缘缘堂》）

但也有被迫选择从运河至海宁长安再换乘火车的时候，比如民国二十三年（1934）那次罕见的大旱，就挫败了他原本"富有诗趣的旅行"。

这一年的六月至七月，桐乡及周边地区最高气温达40.2℃，久晴不雨导致河流干涸，田地龟裂，甚至水量充沛的运河也出现了断流。这次百年不遇的旱情是丰子恺所亲见的，他为此作了《肉腿》一文，其中道：

> 从石门湾到崇德之间，十八里运河的两岸，密接地排列着无数的水车。无数仅穿着一条短裤的农人，正在那里踏水。我的船在其间行进，好像阅兵式里的将军。船主人说，前天有人数过，两岸的水车共计七百五十六架。连日大晴大热，今天水车架数恐又增加了。我设想从天中望下来，这一段运河大约像一条蜈蚣，数百只脚都在那里动。我下船的时候心情的郁郁，到这时候忽然变成了惊奇。这是天地间的一种伟观，这是人与自然的剧战。火一般的太阳赫赫地照着，猛烈地在那里吸收地面上所有的水；浅浅的河水懒洋洋地躺着，被太阳越晒越浅。两岸数千百个踏水的人，尽量地使用两腿的力量，在那里同太阳争夺这一些水。太阳升得越高，他们踏得越快："洛洛洛洛……"响个不绝。后来终于戛然停止，人都疲乏而休息了；然而太阳似乎并不疲倦，不须休息；在静肃的时候，炎威更加猛烈了。

这次大旱持续了两三个月，田里、浜里、小河里都已干涸见底。只有运河里还有些浅水，但洗衣服汲水的人蹲在河埠最下边的一块石头上也撩不着水，须下到河床才行。运河上的航船只能在河的中道独行，若与其他船交会而过，船底就要触到河底，轧轧作响。即便如此，农人为了庄稼不被旱死，只能伸手向运河求水。他们在运河边架起水车，将水从运河中踏进河里；再在河边架水车，把水从河中踏到浜里；最后在浜上架水车，又把水从浜里踏进田中，前后三回，忙得焦头烂额。

丰子恺是个有菩萨心肠的人，见此民生疾苦不仅心生怜悯，还为自己的消闲散漫深切自责起来。他由此联想起都市舞池里和银幕上舞女的肉腿，两相对照，不禁慨叹命运的不公。

作为从家门前流淌而过的母亲河，京杭大运河养育了丰家数代人，两岸特别的民俗风情更是触发了丰子恺的神思，使其创作了大量以此为题材的文艺作品。古老的运河风貌，在其笔墨的点染下愈发楚楚动人。

两次还乡

在讲述丰子恺与京杭大运河的故事时，不得不提他后半生的两次还乡之旅。据此我们可以知道，丰子恺由外地返乡，大运河作为其归途的最后一段，因为一头牵连着缘缘堂，在其心中也成为故园的一部分。

第一次是1946年，抗战胜利后，丰子恺结束了长达十年的"艺术的逃难"，携家眷从重庆回到上海，修整几天后就迫不及待地启程回乡，"探望故里"。他先搭乘沪杭火车到海宁长安站，下车后再换乘小船走大运河回石门湾。其《胜利还乡记》一文写到了船抵南皋桥堍埠头的一幕：

石门南皋桥 / 汤闻飞摄

石门东皋桥 / 汤闻飞摄

我的故乡石门湾，位在运河旁边。运河北通嘉兴，南达杭州，在这里打一个弯，因此地名石门湾。石门湾属于石门县（即崇德县），其繁盛却在县城之上。抗战前，这地方船舶麇集，商贾辐辏。每日上午，你如果想通过最热闹的寺弄，必须与人摩肩接踵，又难免被人踏脱鞋子。因此石门湾有一句专用的俗语形容拥挤，叫做"同寺弄里一样"。

　　当我的小舟停泊到石门湾南皋桥堍的埠头上的时候，我举头一望，疑心是弄错了地方。因为这全非石门湾，竟是另一地方。只除运河的湾没有变直，其他一切都改样了。这是我呱呱坠地的地方。但我十年归来，第一脚踏上故乡的土地的时候，感觉并不比上海亲切。因为十年以来，它不断地装着旧时的姿态而入我的客梦；而如今我所踏到的，并不是客梦中所惯见的故乡！

　　在丰子恺的眼里，过去石门湾的繁盛远在县城之上，所谓"船舶麇集，商贾辐辏"，是就石门湾作为大运河上的物资中转站而言的。

　　南皋桥横跨于京杭大运河之上，旧称通济桥，始建于明嘉靖二年（1523），清康熙、道光、同治时曾先后重建。桥一侧石柱上刻有桥联："接三条渚水南来，曲抱溪流清似玉；望一点含山西峙，遥看塔影小于针。"南皋桥与位于东面的东皋桥，双桥并峙，是石门湾里的一道胜景。清人李西铭为此有《双桥晚泊》诗云："扁舟向晚泊，缆系柳月中。一棹春波绿，双桥夕照红。人家依断岸，商舶趁长风。遥睇鸳鸯水，苍茫烟树东。"

　　丰子恺即从这里上岸，沿着运河走向寺弄，再从寺弄转进下西弄，便走到了丰同裕染坊旁的木场桥。一路上是败落的景象，物是人非，染坊店与缘缘堂更成为一片废墟。这一次回乡，令丰子恺惆怅不已。缘缘堂已毁，无处落脚，只得到一个同族人家去投宿。族人买了酒来慰劳这位归来的游子，丰子恺痛饮数十杯后便酣然入睡，梦也不做一个。次日他就匆匆离开这"销魂的地方"，到杭州寻觅新巢去了。

第二次是1975年4月，在经历了"文革"后，七十八岁高龄的丰子恺已如经霜之秋叶，身心脆弱而疲倦。也许是感觉到自己的生命将走到尽头，他在春暖花开的清明时节由学生胡治均陪同，最后一次返回故乡。

他们一行走的还是1946年回乡时的那条老路，先坐沪杭火车到长安，再坐船沿大运河回到石门镇。到达长安站时，从石门湾开来的小汽船已经在等候。据胡治均《石门湾忆游——侍丰子恺老师最后一次游故乡》回忆：

> 我们的小汽船，在宽阔的运河里溯北而上。运河两边数十里堤岸，都用花岗石块砌成，看来是解放后修过的。岸边新柳垂绿，大地菜花金黄，河上往来奔驶的大小船只，络绎不绝。这些景物，确是新鲜迷人。尤其是先生，他对这条美丽而熟悉的运河，曾以不少笔墨给予描绘和赞美，如今有如老友重逢，备觉亲切。他不时伸头向船窗外眺望，露出欣慰的微笑。
>
> 讲讲看看，不觉已过崇福镇，原来是崇德县治的所在地。过去有人说子恺先生是崇德人，后来有人说他是桐乡人，两种说法都是对的，因为现在两县已合并，统称桐乡县了。
>
> 离开崇福不久，迎面横跨一座大桥，这是我们从长安至此所碰到的第二座运河大桥，原来这就是石门湾南大门的南皋桥。南皋桥是先生多么稔熟的名字呀，但是，此刻他怎么也认不出来了，过去它是用条石砌成的环洞古桥，现在已变成钢筋水泥的现代化新桥了。据说将来公路通了，载重十九吨的大卡车也可以驶过。大概由于现今桥身又高又大的缘故，索性连"皋"也改成"高"字了。

1975年丰子恺与学生胡治均在石门木场桥合影

"变了样了，不认识了。"先生发出多么喜悦的赞叹！

南高桥像座高大的城门，船钻进桥洞，石门镇的市街顿呈眼前。我们听说目的地到了，都探头船舱外，想抢先饱览一番石门湾的面貌。没有几分钟船又向左转，驶入一条新开的河里。新河口有座新桥，桥旁有幢新房子，就是石门镇大会堂。船驶过大会堂后面，就是后河，先生的故居缘缘堂遗址，就在这后河的西岸。我们想辨认一下缘缘堂的位置，可是那时汽船仿佛开得特别快，岸上已经有人在向我们招呼，我们也来不及答礼，汽船早已飞也似地驶过木场桥，出通市桥，径向西北方向开去。

"西北方向"即丰子恺的外甥蒋正东家所在的南圣浜，距离石门镇约七里水路。丰子恺此行，在此前后住了十天时间。这期间他由亲友作陪，也曾两次回到石门镇上，在寺弄、梅纱弄、西竺庵、木场桥及接待寺、缘缘堂、惇德堂、丰同裕染坊旧址一带逡巡驻足并摄影留念，向故乡做最后的告别。

回上海不到五个月，丰子恺与世长辞。他的潇洒风神，永远留在了故乡人民的心中。

附录

夏方昊

　　夏方昊，生卒年不详，大致生活于清顺治、康熙年间，庠生，石门县（今桐乡市）人。夏方昊原本只是一个连举人都没有考上的普通秀才，很容易被历史的洪流淹没，但因为他在清初石门县的一次运河疏浚工程中提出了针对性极强的治河十议，并且参与了具体事务，其事迹遂被后世的《浙江通志》《石门县志》所记录，因而得以名传后世。

　　康熙六年（1667），石门知县刘允楷偕县丞季芷动议疏浚石门县境内的运河河道，自松老桥至玉溪镇，全长共计六千一百七十丈。夏方昊具体负责这项繁重工程的实施，其治河十议如下：

　　一、南自松老桥，北至玉溪镇东高桥，约三十里，计六千一百七十丈有奇。分为六段，每段分图承挑。其最浅如迎恩桥起至司马高桥止城湾一带，加工开深。

　　一、作坝需用竹木，悉照民价买办。其囤皮应预计需用若干，劝令各典铺均助，亦属小费，无不乐从。

　　一、两头大坝，钉桩用石匠，挑泥用淘沙匠，每工给米二升，匠不足则佐以里夫。中间各坝，仍着各图自行填筑。

一、车水即照分段各图派，每图粮长各出水车一具，排列工所。同时齐力戽水。

一、每图出夫若干，以派定丈尺，开完为度。各甲照里派夫，或图中照甲画开段落，各自施工，以免推诿，以便分别勤惰。

一、照里出夫，绅士概不准免。惟查本县一百一十三里内有大荒图分四里，熟中荒四里，赋逋人逸，难以派工。计实在图二百零五里，一体均派。

一、就近拨图，以从民便。但天寒暑短，内有里夫路远必须歇息者，许于附近庵堂容留，不许拒绝，亦不许作践。

一、筑坝宜有次序。先于上游筑一头坝，则去水自急泻易涸，然后以次筑五坝，然后于各段内填塞旁口，以施车戽，则力省而功倍。

一、六段宜每段设一挂牌，上书"某处至某处止，计长若干丈，水面应开阔若干，水底应开深若干"。将派拨里分，开列计丈，分图各自挑浚。仍逐图立一长木标，以便识认。

一、沿河查点，按图唱名。里夫在河中答应，不许上岸拥挤。既已画界，一图自为一队，不得逾越稍离工次。仍着催差一齐到单，不到者即行速催，以免迟误。

（《（光绪）石门县志》卷一）

应该说，夏方昊的十议，为这一次的运河疏浚工程提出了具体而详细且切实可行的实施方案。第一条，针对运河长度较长的实际情况，将其划分为六段，"每段分图承挑"，即交由各图分别承担。同时特别强调，县城南门外的迎恩桥至司马高桥一段因淤塞特别严重，须进行深挖。第二条，明确要按照市场价格采购做坝所需的竹木，数量不多的囤皮则由县里的当铺捐助。第三条，规定了参与建造大坝的

包角堰桥（俗称南三里桥）/ 汤闻飞摄

石匠和淘沙匠的配置及相应补贴。第四条，提出所需水车和汲水工作由各图各自分担。第五条，让各图派民夫若干，一起派定河段后分头施工，以免相互推诿。第六条，明确民夫、士绅均须出力，那些人烟稀少难以按图派工的河段也要一体均派。第七条，建议就近分配河段，以从民便，对那些离家较远的民夫，允许其在附近庵堂借宿。第八条，建议筑坝要循序渐进，按次序进行，如此可事半功倍。第九条，每个河段均挂牌，写明任务职责。第十条，须委派专人负责点卯，以确保工程进度。

夏方昊的治河十议兼顾了方方面面的问题，既发动了各方力量，又统筹安排，注重过程管理，从而提高了工程建设的质量和效率。石门县境内的运河经此疏浚，"漕艘无碍，田亩赖以沃灌"（《（嘉庆）石门县志》卷八）。

在这次疏浚工程中，夏方昊应知县刘允楷的要求，重建了运河上倾圮已久的包角堰桥。包角堰桥俗称南三里桥，在县南一里，始建于宋嘉定十三年（1220），此后多次毁弃并重建。此次重建，夏方昊为之作《重建包角堰桥记》：

> 邑城南里许，有包角堰，建桥于其地，因以名之。自宋宝庆间，始易平为环，有清坡道民余智超等，实司其事。先达莫公若冲为之记，载在邑乘。嗣后再建于明之正统，年久渐就倾圮。
>
> 夫邑固两浙上游也，箫鼓楼船，鳞集水滨；舆马负贩，联翩道路。斯桥为南北要津，今上御极之五年，邑大夫刘公始下车视事，目击颓危状，慨然志图重建。爰谋之同寅，谘之绅士里者，工费固不赀也，势必出于劝募有方，则人争慕义兴起。若夫经理，尤不可无人，非秉公不足服众，非克勤不足襄事，必得练达世务、乡党推重者，乃胜其任。当事诸公暨邑士大夫不以愚之不

肖，谬蒙推及，佥曰："方昊其人可。"余亦自计，利济之事，何独非儒生分内耶？虽谫劣无能，勉承公命而不敢辞。

凡所规画，以请于公者，虑无不得。公时以孔道迎候，兼施督理，而相机度势，酌古准今。旧之杉椿易朽也，今则易以松木；旧之层垒患砾也，今则加以盘石。且西有新桥，北有司马桥，皆昂，而此独卑，故行旅旁午，水涨舟高，沮格难行，则驱居人而送之。逞威肆虐，此其受累在民，或当道经临，星使驰传，佐领奔命恐后，而犹惴惴苛督之不免，此其受累又在官。今则增高三尺有奇，三桥并峙，形势既宜人，咸称便。至募助悉听乐输，而费用不至匮乏也。料值一比民间，而取予不生怨望也。工食给以及时，而匠作不敢懈弛也。且虞兵马猝至，又暂设浮桥以济，更为额外之费，所以为地方虑者尤周且悉。此一役也，不较诸他役而倍重且艰乎？巍矣哉，跨虹驾汉，谁不曰利济之大也，斯惠而知政者也，邑侯之功也。公不自有其功，惟不自有其功，而经理之有绪，助资之群力，俱相与以有成者也。公之功不逾大与？工始于康熙六年丁未之三月，而即于八月告成，亦可谓速竣者矣。

夫兴废举坠，邑侯职也。报绩于今，垂泽于后，非公之甘棠乎！莫公，吾乡人也。昔在宋时，以大理丞退而居林，留心于便民济物之事。《桥道》一记，公之叙述甚详，历今及五百年。不肖方昊得生于公卿之后，不敢云继公而起，然利济及物之心虽显晦悬绝，尤不敢与公二也。维时主斯任者则邑侯刘公肇楷，赞其事者则少尹季公芷，学博陈公祖法，三尹潘公科尉、纪公文达，例得并书。方昊承命募理，殚力经营，幸告厥成。侯因以其事属余言之，爰详其颠末而为之记。

（《（嘉庆）石门县志》卷八）

冯应榴

冯应榴（1741—1801），字诒曾，又字星实，号踬息居士。生于桐乡县城（今桐乡市梧桐街道）内的官宦之家，曾祖冯景夏、父冯浩、弟冯集梧皆有文名。冯应榴于乾隆二十六年（1761）中进士，三十年闰二月乾隆第四次南巡召试，钦取一等第四名，官授内阁中书。同年十月充补汉军机章京。此后历官宗人府主事、湖北乡试副主考。三十六年，以吏部员外郎任四川提学道。四十一年，以吏部考功司郎中奉使通州坐粮厅。四十四年，随大学士阿桂前往仪征治河。此后补授通政司参议，转鸿胪寺卿，又外任江西布政使。他为官清正，遇事敢言，曾以巡抚事受牵连而被罢职。后得复用，于五十四年充山东乡试主考，再由参议复任鸿胪寺卿。《蒲褐山房诗话》评价他："英敏豁达，有干济才。既以江西布政使罢归，益肆力于典籍。"他以世传苏轼诗注本舛误甚多，遂取王梅溪、施辅之、查初白诸家注本编撰成《苏文忠公诗合注》五十卷附录五卷，被推为名著。另著有《学语草》《湖上题襟集》《踬息居士诗文集》等。

冯应榴为官三十余载，乾隆四十一年（1776）以吏部考功司郎中身份出任的通州坐粮厅厅丞一职与京杭大运河直接相关。坐粮厅位于通州大运西仓的西侧，与设在西仓东侧的仓场署左右相望，是明清时期户部设在潞河（北运河）北端专管漕运粮储的机构。该处设有满、汉厅丞各一名，满为正，汉为副，是皇帝的钦差，官阶正五品，其职责有运河河道治理、船只制造维修、漕粮验收转运、粮仓管理维护、税费征收、夫役管理等。

冯应榴走马上任后实心任事，时常在潞河（北运河）沿岸巡察漕运。因有感于运河上漕运的空前盛况，遂约请镇江画家江萱绘制了《潞河督运图》。此图已佚，二十世纪五十年代曾被冒名出售，冒名之作现藏于中国国家博物馆[①]。原图虽下落不明，但冯应榴所作的题跋《自书潞河督运图后》得以存世，全文如下：

此余于乾隆丙申以考功郎中奉使坐粮时，倩京口江萱所绘《潞河督运图》也。图中往来船舫，系于漕者十之七八，其一二瓜皮艇，则稽察征榷之用，坐粮使者所兼司也。漕艘之中，植两檣，而扬帆搀舵，衔尾以进，或已泊如鳞比者，为重运；卷帆抽舵，以尾推行者，为回空。回空必让重运先行，违者有罚。

以布袋盛米麦黍豆于船，船约百余袋，袋各一石，无篷窗而以篙徐进者，为剥载。坐粮之运役曰经纪，曰车户者司之。盖潞河水浅舟多，不能齐达坝下，故别以船剥载。坝有石有土，石坝在北门外，通州州判兼掌之。有楼曰大光，义取损上以益下也。满、汉仓场侍郎暨坐粮使者，恒于斯荗憩凭眺焉。

坝前为潞河，后即通惠河。隔潞河三四丈许，幅旁檣斿小露者，是已运十三京仓之漕，抵石坝，由大光楼下，背负而入通惠，肩踵相接，日数万人。通惠每闸有船，亦经纪司之。过闸负运者，谓之水脚，并隶使者所辖。至大通桥以上，则监督之职矣。石坝之北有浮桥，为榷税十三口之一。近东门者为土坝，州同兼掌之。运通州西中仓之漕，由坝而入城河，舟运至旧南门者，贮中仓；新南门者，贮西仓。城以内皆车运，故司事之役，总曰车户。他政均与石坝相类。

至中流饱帆而放棹者，即余官船。每漕艘抵通，使者日乘舟往验其高下，乃分坐于各仓，并以时赴津门督催之。小舟飞桨，

① 详情可参考《海河巡盐：国博藏所谓〈潞河督运图〉天津风物考》，高伟编著，天津社会科学院出版社2018年版。

捧盘来迎余舟者，即取验之粮；以粮散盛于舟尾，漕艘而行者，杨村官给之剥载也。

形如虞业，系绳于端，牵岸上者曰刮板，牵之者为浅夫，负柳枝随行者为标夫。潞河沙易胶蛋，非疏浚可施，惟时时刮沙，俾随水去，无阻运足矣。好事者以新意改制，辄无益而止。又河之深浅无定，必以柳枝标识，浅处使漕艘望而知避焉。

夫漕，为理财之一端；坐粮，司漕之一职耳。顾粗举规制，百不罄一，已烦重若是，矧其涉江淮河数千里，以挽纳神仓者乎？司漕诸君子，苟不以爱民恤丁、洁其身奉职为念，其何以副朝廷惠下之仁、任人之意乎？览斯图者，当亦有感于余言已。戊戌春仲，瓜代旋京，将以索能文者题咏，因先自书其后。

（《湖海文传》卷七十）

"乾隆丙申"即乾隆四十一年（1776），"戊戌"即乾隆四十三年（1778），据此可知冯应榴在坐粮厅当了两年差后即回京任职。这篇题跋对清代潞河漕运做了具体详细的描述，为后人了解该图及清代的漕运提供了珍贵史料。其内容主要涉及以下几个方面：

一是介绍了潞河中过往船只的不同功用，十之七八与漕运有关，此外一二只瓜皮艇则用于稽察和征税。其中特别提到用于转运漕粮的剥船（又称红剥船），因潞河水浅船多，无法直达坝下，故以船体较小的剥船转运。这种船在本书《劳之辨：天下离别多，无如宦游子》一文中有过介绍，此不赘述。

二是描述了南来漕粮从潞河翻坝过闸进入通惠河，再到护城河，直至运抵粮仓存储的整个过程。其间有大小官吏各司其职，不同岗位的民工相互配合，"肩踵相接，日数万人"，可以想见其场面之壮观。

三是交代自己也在画中，描述了日常的岗位职责。只要漕粮运抵，冯应榴就要乘坐官船前往查验，以便分出质量高下，再分派到各仓存储。这是后人了解坐粮厅官员日常工作最直接的史料。

四是写到刮板、浅夫和标夫，都是潞河中特有的物事和职业，正可以看出船夫河工的智慧。

五是对有司提出劝诫，提醒为官者当"以爱民恤丁、洁其身奉职为念"，也道出了请人作图的真实用意。

需要附带一笔的是，冯应榴的两个儿子冯振辉（字履泰，附监生）、冯绩熙（字亮钦，附监生）都曾在济宁的山东运河道运河厅任职，均为河工。这个安排，应该是与冯应榴的表兄、担任过运河道道台的沈启震有关。

当时冯应榴经沈启震和弟弟冯集梧的介绍，与在运河道任运河厅同知的黄易相识，并开始通信。冯应榴在嘉庆元年（1796）五月十九日写给黄易的手札中就黄易对自己儿子的关照表示了感谢：

> 久钦大雅之才，嗜古涵今，学醇才大，自朗夫中丞以及青斋诸公，其缕述于弟者非一日矣，不徒家弟之与老先生有夙契也。
>
> 只以贱体善病，疏懒殊常，未获频通款曲。顷从青斋家表兄处见老先生寄舍表侄宾谷书，知两犬子在济投效，承推挚爱，许为多方照拂，寸私感泐难名。两犬子学业无成，一衿徒困，妄思乘时博取微名。又以弟官囊萧条，不能多费，只得下从末秩。然年轻识昧，阅历全无，出门以来实深舐犊，今得大贤古道，事事训指，弟可无挂于怀矣。犬子素不知工程，只可听上游之委负承办。惟旅费巨繁，未审作何安顿耳。
>
> 乘便鸣谢，兼候升祺。晤孙渊如暨小门生乞致意，余容续布。不宣。小松先生朗鉴。从吉弟冯应榴顿首。五月十九日。

矢钦

大雅三才嗜古酒今学醇才大目阴夫中丞以及青

齐诸子其缵述於末者非一日矣不唯家之弟之与

老先生背风契迎祗以贱体善病踈懒殊蒂未瘳

频通歌曲须读青齐窠素无虑见

老先生寄含素姓各书如孤犬子在满授勤承

推挚受汗为多里拜寸私戴附离石如犬子与学业

等感一矜实困安里秉时博取微名又以第官索

萧條不能多费只得下隆未秩逆年轻识脉阔

歷仝等出门仍未实係祗揆今得

太奥古道事之例枝术可等摧於怀笑犬子素不知工程

只步脉上麻三委务承辨惟旅黄雖寮未审作

何术扱耳秉使鸣谢並假

升祺脪孫澜如敝小门生之殷素惟宠佛不宣

小松先生洞鑒

隆吉弟冯应榴扱首肅白

冯应榴致黄易手札

函中的"朗夫"即陆耀，曾任山东运河道。"青斋"即沈启震。"家弟"即冯集梧，与黄易相识在先，相交"夙契"①。"宾谷"即沈旺生，沈启震之子，附监生，亦任河工。"孙渊如"即孙星衍（1753—1818），字渊如，号伯渊，别署芳茂山人等，清代著名藏书家、目录学家、书法家、经学家，为冯应榴门生，时任山东督粮道。

随着冯、黄二人交往的加深，他们在学术上也互相支持。据冯应榴嘉庆元年（1796）七月初一致黄易函可知，黄易曾为其提供旧版，为藏书家之间互通有无平添了一段佳话。

严　辰

严辰（1822—1893），原名仲泽，字淄生，号达叟，清代桐乡县青镇（今桐乡市乌镇镇）人，以热心乡邦事务至今为人称道。他是道光二十三年（1843）举人，咸丰九年（1859）进士，授翰林院庶吉士。同治元年（1862），参加散馆考试，因赋中有"女中尧舜"字样而触怒垂帘听政不久的慈禧太后，降至第十名，改任刑部主事。

此次受辱对严辰打击颇大，终生耿耿于怀，他深感"文章报国今无分"，于是辞归南还。同治四年，严辰回乡主持善后局，在故园惨遭太平天国战火重创的背景下，他曲线救国，造福桑梓，凡事关地方兴革之事，无不尽力而为，借此才稍稍施展了个人的政治抱负。

古代读书人的出路，首选是科举。严辰自道光二十四年首次赴京参加会试，前后七次，至咸丰九年终于金榜题名，随后又在京城

---

① 冯集梧亦有致黄易函，见《黄易友朋往来书札辑考》和《国家图书馆藏黄小松友朋书札》二书。

担任相关职务，在京滞留近二十年。他南来北往，虽说少不了要走京杭大运河，但后期往返却多走海路。即便如此，船到天津登陆后，从天津至通州的潞河水道却始终是必经之路。

同治二年（1863）秋初，严辰应天津知府费学曾之邀，赴天津"阅府试卷"。月余后回京，途中作《津门晤恽伯舫前辈即约同由潞河旋京方舟并鹜晨夕论心赋此奉赠》诗云：

严辰（年长者）旧照

> 我为佣书走析津，君将乞禄叩枫宸。
> 那知萍水遭逢客，同是蓬山堕落人。
> 通海潮痕随雨长，近秋天气怯凉新。
> 连樯数日烟波乐，绝胜轮蹄溷软尘。

从诗中的"连樯数日烟波乐，绝胜轮蹄溷软尘"句可知，潞河水运的舒适便捷，令严辰心生欢喜。也正是因为有了好心情，他随后又一口气写下《潞河返棹杂诗八首》，现迻录如下并略作分析：

> 海雨连旬积，浮梁一夕平。驱车防及淖，买棹利遄征。
> 屈指惊秋信，关心算水程。八年真转瞬，陈迹尚分明。[①]

---

① 原注：丙辰之夏，初游津门，亦取道此水旋京。

据"八年真转瞬"句及小注可知，八年前的"丙辰之夏"即咸丰六年（1856）夏天，严辰初游津门，返程也是取道潞河回京的。那一年严辰三十五岁，年初还在四川剑州度岁，不久经西安，于二月底回到京城。待安置好随同家眷后，他参加了这一年的会试，却再次落榜。他听从亲友的规劝，"改捐京曹"，由于"捐资无出"，只得出京筹募。第一站便是天津。

> 忽遇天涯客，连樯指帝乡。风多帆自饱，岸曲柁偏忙。
> 萍水长飘荡，蓬山已渺茫。眼中犀角好，聊欲托青箱。

"天涯客"即前面诗题中的"恽伯舫前辈"，详情不知。从后三联来看，严辰对仕途已不抱期望。"眼中犀角"借用的是苏轼《狱中寄子由》一诗中的典故，流露出诗人对家人的愧疚之情。

> 羡尔随樯燕，终年踏浪飞。竟贪烟水乐，不记画梁归。
> 饮啄从天付，翱翔与世违。喞啾作何语，似话涨痕肥。

严辰的归思在这一首诗中表现得愈加强烈。诗人羡慕"随樯燕"，可以"终年踏浪飞"，不仅没有离愁别绪，竟还贪恋"烟水乐"，对画梁旧巢了无牵挂。这种潇洒不羁的境界，翱翔天宇的大自在，是诗人深深向往的。

> 暂此烟波乐，饥驱苦忆家。干戈仍海内，舟楫自天涯。
> 日淡因笼雾，云浓欲变霞。朝来清景足，高咏兴偏赊。

对于诗人而言，"烟波乐"只是一时的，稍纵即逝。他要面对

荒来檢韻書亜此對偶直將玉局盖亦
豈謹兩髯壇不作首枫此致擊許兄
嘆儔禅楷懷冰遭擔我书詞跎當怵鬆
公乃春秋敌竊畀圖逝下錄墨陵術俊大
上紀風吹垢　昭代吉編頼此修私客墨

本绕雜宇诗陈枫隆雄傳觀速付梓
人善不朽　天長地久此书存以名世
與書同壽

蕭堂先生中華年大人指瑕　诸尺牘字修
辛巳春三幣夢

裸西州以两阻政寫书弟益出示蘇
父忠用錄孝手蹟母用东坡石鼓歌
韻省俱二季兄示險韻文篇
曲高寡和怖手毛信书枕上章斌和
章寄呈
大教吾亦不免掛串鼓迴
雲內之谘呰當气
指正差幸
桐卿芝僧氏簽辰初稿

憶當同治歲乙丑道出三湘訪猿叟誰知
猿叟不初望卻喜就門巧一去記吾卬
共初把臂便談老出不言□□乙兮送出
（顧觀念卬）卬名直在廿年奇後面達之
（雖觀念卬）聞名直在廿年奇後面達之
……鴻彥下主成夏日傅社中弟
來九……梅保技……闌擅顔柳
公才本王歷歐梅保技……闌擅顔柳
吉……督隨身永分黃金印起肘外驅
劃峨……枯甶別盱氏出言茅抛書本
為苔出……承疾遠名友九逮自然
或多……三住……闌毅茅官仇舊
……子保甶學……遠遊台蕩泀
鳰貊……莪湖山作耆耆度崖門鳳不
神仙就養湖山作耆耆度崖門鳳不
頴兮兮侍窓窓契兮嫉許好眠福仇圖書
當獨□香榑兮盾泰寛□血仇莢宏
以忱祝同膝心督碧觀鏡目睁
当父……峒嶼坡仙手浮至今存王妻炎
表父……峒嶼坡仙手浮至今存王妻炎
……許……柏旁遂臻考班〻歷代顕名
（記若）柏旁遂臻考班〻歷代顕名

返乡后，严辰时常往返于桐乡、杭州之间。此为光绪七年（1881）严辰所作诗稿手迹

的，除了个体的郁郁不得志，还有日薄西山的家国天下。他是多么希望有朝一日能够阴霾驱散，寰宇澄清。

> 长天不改色，流水无定容。芳草映来碧，夕阳铺处红。
> 沙痕犹叠浪，云气忽层峰。赖有诗能写，须知画不工。

其实有很多事情，非人力所能为。比如"长天不改色，流水无定容"，自然的规律，是不以人的意志为转移的。这也折射出现实的残酷和政治的云谲波诡，能诗者借诗抒怀，赋到沧桑句便工。

> 晚来无一事，独酌散千忧。雷雨忽交作，扁舟荡不休。
> 平生轻险阻，万念付东流。独有思亲梦，时萦杜若洲。

夜幕降临后，诗人无事，借酒消愁，又逢雷雨交加，致使小小的扁舟载沉载浮，晃荡不休。诗人触景生情，心中不免生出郁结已久的身世飘零之叹，好在还有"思亲梦"，可聊以自慰。

> 满川秋水至，雨岸绿阴成。一鹭忽飞起，千蝉相间鸣。
> 欲催残暑尽，已觉嫩凉生。空抱莼鲈思，乡关尚甲兵。

那"一鹭"仿佛就是诗人自己，谁都有一飞冲天、一鸣惊人的冲动。暑尽凉生，莼鲈之思在心头泛起，无奈家园惨遭兵燹，无家可回，真是进退两难。

> 半生心曲事，忽到酒杯边。富贵回头岸，功名上水船。
> 虚声惭久盗，俗累愿都捐。何日鸳湖去，浮家作水仙。

刚过不惑之年的诗人，已生出厌倦官场的情绪。"何日鸳湖去，浮家作水仙"，似乎已下定辞归的决心，恨不得立马就到家，做一个自在神仙。

严辰在《桐溪达叟自编年谱》中自述，同年十月"复至津门，将为航海之游"。至月底，人已到上海。一路上虽然险象环生，终于还是平安登陆。因故乡遭乱，先暂居新北门外的京江客栈。离京前，作有《留别都门同人》诗四首以明心迹，末一首云：

> 戒程几度未登程，今日真成仗剑行。
> 海上惊涛偏惧客，江南杀气正鏖兵。
> 此游已自拼孤注，吾道终须戒苟营。
> 但祝故乡烽火息，安排尽室事归耕。

回乡后的严辰，积极投身于家乡的重建工作。其活动半径锐减，只在如今的江浙沪一带，杭州、苏州是他最常去的地方，以船代步走运河，依然是首选的出行方式。

太　虚

太虚（1890—1947），俗姓吕，乳名淦森，学名沛林，出家后法名唯心，字太虚，别署昧庵、缙云老人、雪山老僧等，崇德县梵山乡（今桐乡市高桥街道）人。他是著名的佛学家、佛教改革家、近现代人间佛教运动的开创者、中国佛教现代化的奠基人，与虚云、印光、弘一并称"民国四大高僧"。

太虚出生于隋唐运河（上塘河）的流经之地浙江海宁长安，幼年丧父，母亲改嫁后，与外祖母相依为命。外祖母专好修道念佛，太虚自幼与她生活在离长安镇家中约三里远的大隐庵中，耳濡目染，在经忏的诵唱声中度过了充满遐想的童年。

九岁那年七月，太虚送外祖母登上去九华山礼佛的香船，竟赖着不下船。外祖母向来宠溺小外孙，又因香头杨老太也带着与太虚年纪相仿的小孙女，便携其同往。关于这段去九华山的路程，太虚后来在《自传》中回忆道：

少年时的太虚

> 初系小船，到嘉兴后换乘大船，从运河而入长江，过平望小九华、镇江金山寺等，皆停船入寺晋香。同船七八十人，有僧，有尼，有老阿爹，最多的为老阿太。船中每日作朝暮课诵及念佛三炷香，我在此时即随同念熟了各种常诵的经咒。暇时，听一二老僧与外婆讲讲一路的古迹，及菩萨、罗汉、神仙的遗闻轶事，甚觉优游快乐。船经月余，始泊大通，过钱家渡上九华山，这为我登大山的头一遭。到山上在各寺庙烧香，约七八天始下山，仍坐原船由原路抵长安，往返有两三个月光景，这是我最初亦印象最深的一游。

此次上九华山，从嘉兴经大运河而入长江到达大通镇（属池州）的水路，即是明清以来的所谓官道。大运河沿线的平望小九华寺和镇江金山寺都是闻名遐迩的古刹，顺道晋香，是香客的题中应有之意。这两座寺庙，后来都与太虚再次相遇，并各有一段因缘。

小九华寺内太虚手植的桂花树 / 夏春锦摄

此后，外祖母又主动带太虚去了一趟普陀山。有了前后两次的礼佛经历，太虚便"对于寺院僧众更深歆慕"。在做学徒的几年时间里，太虚也陆续读了一些书。看的书越多，其内心越忍不住苦闷起来，不时会憧憬出家人的清闲快乐与逍遥自在。于是他积蓄盘缠，为去普陀山出家作准备。

光绪三十年（1904），太虚十六岁，决计前往普陀山出家。他先从长安步行至石门县城外，连夜乘坐大运河上的夜航船到达嘉兴。第二天一早到达嘉兴后，他便去戴生昌轮船公司购买去上海的船票。该公司的经理夫妇在得知太虚的出家意图后颇生怜悯之心，有意带其到上海与自己的女儿一起进学堂读书。但太虚出家之志已明，为避免再被劝阻，便在一日清晨匆忙上了开往苏州的轮船，沿大运河一路北行。途中才发现自己上错了船，于是在平望下船，打算次日再改乘轮船到上海。太虚在平望散步时走到了莺脰湖边的小九华寺，猛然想起九岁时曾与外祖母入寺烧香，自觉因缘殊胜，便决定在此出家。

太虚在小九华寺出家后，因天资聪慧而得到监院士达和尚的垂青。在士达的精心引领下，太虚从大运河畔的小九华寺起步，开启了他不平凡的弘法与佛教改革之路。

张琴秋

张琴秋（1904—1968），乳名凤生，学名梧，又名超，号琴秋。1924年考入上海大学后以琴秋为正式名，使用终身。张琴秋自青年时代起即投身革命，1924年11月加入中国共产党，在上海从事地下党工作。同年，与沈泽民结为连理。1925年底，她前往莫斯科中山大学学习，学成归来后被派往鄂豫皖苏区工作。她参加了两万五千里长征，在战火的历练中成长为跃马持枪、指挥实战的女将领，先后担任红四方面军总政治部主任、妇女独立团团长等职。新中国成立后从事经济工作，出任纺织工业部党组副书记、副部长。"文革"期间被迫害致死，1979年平反昭雪。

张琴秋出生于当时的石门县玉溪镇（今桐乡市石门镇），家住南皋桥的西堍。张家原本不是本地人，清光绪年间，张琴秋的祖父张品山与其兄长因看中石门湾优越的地理位置，遂从不远处的海宁县周王庙迁居至此。他们借助地利之便，在玉溪镇开了一家米行，因经营有道，积累了一些家财。到了张琴秋的父亲张殿卿时，开始攻读诗书，在科举考试中考取了秀才。张殿卿是个追慕风雅之人，见大运河西岸有一座莲居庵已经废弃，便出资购下，盖起了三间草堂。堂前有两个池塘，养殖各种鱼类，池塘周围种植了花果树木，风景四季如画。张琴秋的童年和少年时代就在大运河之畔度过。

因家住大运河上的南皋桥边，张琴秋时常与小伙伴到桥上玩耍。据张琴秋的表妹钱青回忆：

> 数十年前，在南皋桥上，我与表姐张琴秋常拾级而登，见河上船只往来如梭。河东，是繁华的商店；河西，是青瓦粉墙的民房。东西两桥勾通着石门湾的东西南北。伫立桥上，远眺含山，景色如画。桥柱上刻有花卉、人物、鸟兽、诗词。其中有桥联云"接三条渚水南来，曲抱溪流清似玉；望一点含山西峙，遥看塔影小于针"，不知是何人杰作，写尽了玉溪的倩影与美景。（钱青《忆故乡》）

在她们读小学五年级的时候，一天傍晚，张琴秋和钱青边背诵诗词，边往南皋桥上走。忽然，她们发现有一位姑娘正倚栏而泣，张琴秋便冲上前去询问缘由。原来这位姑娘是附近高家湾人，因家境贫

石湾同乡送别沈君稔三育奎日

1921年6月19日，张琴秋（前排左一）在家乡石湾镇与同乡人合影

困，其父欲将其卖作童养媳。姑娘得知后逃了出来，无家可归，正要投河自尽。张琴秋闻之，十分难过，立刻跑回家拉了母亲到桥上，哭着要她救救这个姑娘。张母名冯定珍，粗通文字，思想开明，为人贤惠有主见，对姑娘的遭遇也十分同情，便收留了她，让她在自己家中做了小帮工。

张琴秋九岁时进入由丰子恺的大姐丰瀛创办并担任校长的振华高初等女子小学校（简称振华学校）就读。在校期间，正赶上五四运动爆发，生性外放的张琴秋深受鼓舞，积极投身到这场声势浩大的运动中。她们在校长的指挥下，自制小旗，上面写着"打到东洋鬼子""抵制日货""中国人应该买中国货"等标语，排着队满街游行。

她和钱青因表现积极，还被推选去县城参加响应北平五四运动的集会。从石门湾到县城，最便捷的交通方式就是坐船走运河。这次出行，第一次拉开了张琴秋的人生半径。而1920年秋，冲破阻力，顺利考入位于杭州的浙江省立女子师范学校，则将她推到了更广阔的天地中。

参考文献

1. 《大元海运记》，〔元〕赵世延纂修，文物出版社2022年版。

2. 《明史》，〔明〕张廷玉等撰，中华书局1984年版。

3. 《东汇诗集》，〔明〕吕希周撰，明嘉靖三十三年 (1554) 吕端甫刻本。

4. 《清史稿》，〔清〕赵尔巽等撰，中华书局1998年版。

5. 《光绪桐乡县志》，〔清〕严辰纂修，徐树民、俞尚曦、郁震宏标点，桐乡市地方志办公室整理，中华书局2013年版。

6. 《(光绪) 石门县志》，〔清〕余丽元修，徐树民、俞尚曦点校，桐乡市地方志办公室整理，中华书局2016年版。

7. 《北游录》，〔清〕谈迁撰，汪北平点校，中华书局1997年版。

8. 《杨园先生全集》，〔清〕张履祥著，陈祖武点校，中华书局2002年版。

9. 《牧斋有学集》，〔清〕钱谦益著，〔清〕钱曾笺注，钱仲联标校，上海古籍出版社1996年版。

10. 《吕留良全集》，〔清〕吕留良撰，俞国林编，中华书局2015年版。

11. 《查慎行集》，〔清〕查慎行撰，张玉亮、辜艳红点校，浙江古籍出版社2014年版。

12. 《吴之振诗集》，〔清〕吴之振撰，徐正点校，浙江古籍出版社2012年版。

13. 《静观堂诗集》，〔清〕劳之辨撰，《清代诗文集汇编》(153)，《清代诗文集汇编》编纂委员会编，上海古籍出版社2010年版。

14. 《鲍廷博题跋集》，〔清〕鲍廷博撰，周生杰、季秋华辑，浙江古籍出版社2012年版。

15. 《山静居遗稿》，〔清〕方薰撰，《清代诗文集汇编》(389)，《清代诗文集汇编》编纂委员会编，上海古籍出版社2010年版。

16. 《青溪严氏家谱》，〔清〕严辰纂修，清光绪十八年(1892)刻本。

17. 《桐溪达叟自编年谱》，〔清〕严辰撰，清光绪十四年(1888)刻本。

18. 《墨花吟馆诗钞》，〔清〕严辰撰，清光绪十九年(1893)刻本。

19. 《乌青镇志》，〔清〕董世宁原修、卢学溥续修，徐树民、俞尚曦点校，桐乡市档案馆、中共桐乡市委史志研究室整理，方志出版社2021年版。

20. 《宋咸熙集》，〔清〕宋咸熙著，杨叶点校，浙江古籍出版社2021年版。

21. 《丽宋楼藏书志》，〔清〕陆心源编，许静波点校，浙江古籍出版社2016年版。

22. 《桐溪诗述》，〔清〕宋咸熙著，浙江古籍出版社2021年版。

23. 《太平欢乐图》，〔清〕董棨绘，许志浩编，学林出版社2003年版。

24. 《济州金石志》，〔清〕徐宗干辑，清道光乙巳(1845)闽中自刊本。

25. 《芸香堂诗集》，〔清〕和琳撰，《四库未收书辑刊》第10辑第28册，四库未收书辑刊编纂委员会编，北京出版社1997年版。

26. 《清实录山东史料选》，山东师范大学历史系中国近代史研究室选编，齐鲁书社1984年版。

27. 《乾隆帝起居注》，中国第一历史档案馆编，广西师范大学出版社2002年版。

28. 《黄易友朋往来书札辑考》，薛龙春撰，生活·读书·新知三联书店2021年版。

29. 《国家图书馆藏黄小松友朋书札》，国家图书馆编、王玥琳整理，中华书局2022年版。

30. 《桐乡县志》，桐乡市《桐乡县志》编纂委员会编、马新正主编，上海书店出版社1996年版。

31. 《黄易年谱初编》，杨国栋著，山东画报出版社2017年版。

32. 《〈清实录〉中铜业铜政资料汇编》，王瑰、陈艳丽、马晓粉编，西南交通大学出版社2016年版。

33. 《海河巡盐：国博藏所谓〈潞河督运图〉天津风物考》，高伟编著，天津社会科学院出版社2018年版。

34. 《张履祥诗文选注》，张天杰、徐金松等选注，桐乡市名人研究会编，浙江古籍出版社2014年版。

35. 《张履祥与清初学术》，张天杰著，浙江古籍出版社2011年版。

36. 《吕留良年谱长编》，卞僧慧撰，中华书局2003年版。

37. 《吕留良诗笺释》，俞国林撰，中华书局2015年版。

38. 《吴之振传》，郁震宏、潘诗雨著，华文出版社2020年版。

39. 《鲍廷博年谱长编》，刘尚恒著，国家图书馆出版社2017年版。

40. 《嘉兴藏书史》，陈心蓉著，国家图书馆出版社2010年版。

41. 《梧桐乡是凤凰家》，张森生著，夏春锦主编，梧桐阅社编，华文出版社2020年版。

42. 《鲍廷博评传》，周生杰、杨瑞著，凤凰出版社2014年版。

43. 《丰子恺全集》，丰子恺著，陈星总主编，海豚出版社2016年版。

44. 《丰子恺年谱长编》，陈星著，中国社会科学出版社2014年版。

45. 《太虚法师年谱》，印顺编，宗教文化出版社1995年版。

46. 《太虚文选》，太虚著，向子平、沈诗醒编，上海古籍出版社2007年版。

47. 《桐乡本是凤凰家：桐乡民间故事集》，王士杰主编，浙江人民出版社2014年版。

48.《桐乡文史资料》第六辑,桐乡市政协文史资料工作委员会1987年编印。

49.《桐乡运河文化》("桐乡文史资料"第二十四辑),桐乡市政协文史资料委员会编,台海出版社2006年版。

50.《张琴秋纪念集》("桐乡文史资料"第二十五辑),桐乡市政协文教卫体与文史资料委员会2006年编印。

51.《桐乡记忆(吕希周专辑)》,吕志江编著,桐乡市档案馆2021年印。

52.《桐乡记忆(张琴秋:从红军女将领到共和国开国部长)》,周文毅著,桐乡市档案馆2021年印。

后记

　　说句老实话，在接受本课题之初，我对如何写好这个专题，心里一点底都没有。和往常一样，也是先从文献的阅读和资料的搜集开始，随着了解的加深，有些无关的名字被我从原有的名单中逐个删去。因为我的写作目标越来越明确——一定要紧紧围绕与大运河有关联的桐乡历史人物这个中心话题展开。

　　在写作过程中，得到了不少师友的帮助，这种相互切磋、交流精进的学术氛围令人感念。部分文章曾先后在《文化交流》《嘉兴文史》《杨树浦文艺》《嘉兴日报》《南湖晚报》等报刊发表。发表是为了及时发现存在的缺陷和问题。如今结集出版，将以整体面目示人，希望不因浅陋而贻笑于大方之家。

　　书中精选了大量的插图，为拙著增色不少。特别是汤闻飞、李渭钫等本地摄影家拍摄的桐乡段运河题材老照片和朱绍平先生提供的从海外回流的大运河主题明信片，为本书增添了历史感和观赏性。

　　地方文史要想走出地方，谈何容易。它对研究者提出了更高的要求，需要在选题和写作手法上寻求突破。拙著与理想中的佳作还相距甚远，但由此发现的资料和产生的相关思考，很愿意拿出来与诸君分享。

癸卯冬月

夏春锦于半半斋